28/3/2013

La sœur de l'ombre

Patricia MacDonald

La sœur
de l'ombre

ROMAN

Traduit de l'anglais
par Nicole Hibert

Albin Michel

COLLECTION « SPÉCIAL SUSPENSE »

Aux jeunes mariés,
Marie-Madeleine Rigopoulos et Yannis Basho.
Tous mes vœux de bonheur.

1

L A VOITURE S'ARRÊTA DEVANT LA MAISON de style
Queen Ann, en briques rouges, qui depuis toujours était pour Alex Woods la maison familiale.
Alex regarda les arbres nus, la façade aux fenêtres
obscures. Toutes les demeures voisines étaient déco-
rées de guirlandes ou de bougies de Noël. La sienne
avait l'air d'un trou noir au milieu du quartier gaiement illuminé. On était en fin d'après-midi, le ciel
de décembre avait la couleur de l'étain. Des plaques
de neige gelée, grisâtre, parsemaient le jardin. Alex
soupira.

– Tu n'es pas obligée de rester ici, lui dit son
oncle, Brian, qui conduisait. Tu peux venir chez
nous. Ta tante Jean et moi en serions ravis. Et tes
cousins aussi.

– Je sais.

Alex avait logé chez son oncle et sa tante à la fin du
printemps, après la disparition de ses parents dans
un accident de voiture. Effarés à l'idée qu'on pouvait
perdre père et mère en un seul instant fatidique, ses
deux jeunes cousins l'avaient traitée avec respect et
circonspection. Aujourd'hui, six mois plus tard, ce

deuil était probablement de l'histoire ancienne pour les garçons. Ils ne songeaient qu'à leurs cadeaux de Noël. Alex était une parente parmi d'autres, une adulte qu'ils connaissaient à peine.

– Tu es très gentil, je te remercie de ton invitation. Mais je ne peux pas me dérober davantage. Il faut que j'affronte la réalité.

– Laisse-moi au moins entrer avec toi. C'est trop pénible.

– Non, ça va. Tout ira bien.

– Ta mère voudrait que je m'occupe de toi.

Brian était le frère cadet de la mère d'Alex, plus jeune de six ans ; il était aussi roux que sa sœur, il avait des cils presque blancs, un sourire timide. Dans la famille, on colportait d'innombrables anecdotes sur ses frasques de jeunesse. On avait pourtant du mal à l'imaginer en rebelle, maintenant que son crâne se déplumait et que son alliance s'était incrustée dans son annulaire. Alex le revoyait encore en smoking, séduisant et nerveux, lorsqu'il avait épousé Jean. Elle était leur demoiselle d'honneur. À présent, il était entraîneur de la Little League[1] et allait à l'église tous les dimanches.

– Mais tu t'es occupé de moi. Ces derniers mois, sans toi et tante Jean, je ne m'en serais pas sortie. Toute cette paperasse pour la succession… J'aurais été submergée. Vous m'avez beaucoup aidée, je vous en suis reconnaissante. Vraiment. Et puis, on se verra bientôt. Nous passerons Noël ensemble.

----

1. Little League Baseball : organisation américaine qui encadre la pratique du baseball pour les enfants. *(Toutes les notes sont de la traductrice.)*

– Je me tracasse pour toi, que veux-tu. Tu n'es plus une petite fille, je le sais bien, mais quand je te regarde, je me rappelle comme si c'était hier le jour de ta naissance. Ta mère et ton père étaient si heureux.

Évitant son regard attendri, Alex lui étreignit furtivement la main.

– J'ai eu des parents merveilleux, dit-elle d'une voix qui tremblait.

Les yeux gris de Brian s'emplirent de larmes.

– Je pense à eux sans cesse, murmura-t-il. Ils me manquent terriblement. J'adorais ma grande sœur, bien sûr, mais j'aimais aussi Doug. Quel chic type. Tous les deux, c'étaient des gens bien…

Alex acquiesça en silence.

– Ils seraient fiers de toi. Tu as été tellement forte. Continuer à bûcher et terminer tes études après un drame pareil… chapeau.

Au moment de l'accident, Alex préparait son master en management des arts et de la culture, à Seattle. Elle avait longuement réfléchi puis décidé de poursuivre ses cours durant l'été pour boucler son cursus en décembre. Elle craignait, si elle revenait dans l'Est avant, de sombrer dans la dépression et de ne jamais décrocher son diplôme.

– Ils auraient voulu que j'aille jusqu'au bout. C'est ce qui m'a permis de tenir.

– En tout cas, bravo.

– Merci. Bon, il est temps de…

– D'accord.

Alex respira à fond et ouvrit la portière.

– Et merci d'être venu me chercher à l'aéroport, oncle Brian.

– Quand dois-tu récupérer tes affaires ?

– D'ici une semaine, d'après la compagnie de transport. De toute façon, il ne me manque rien d'essentiel. J'ai laissé beaucoup de choses à l'appartement, pour mes colocataires. Elles sont encore à la fac, donc fauchées.

– Tu verras, la maison est propre. Et ta voiture roule. J'ai vérifié l'autre jour. Ta tante t'a acheté quelques bricoles au supermarché. Le gaz et l'électricité n'ont pas été coupés, au moins tu n'auras pas à rester dans le noir à te geler.

– Tant mieux, répondit Alex en se forçant à sourire.

Brian jeta un nouveau coup d'œil à la façade, lugubre.

– Je préférerais que tu ne loges pas ici, Alex. C'est trop dur. Tu devras vider cette maison si tu veux la vendre, d'accord, mais tu pourrais venir y travailler pendant la journée et passer tes nuits chez nous. On n'est qu'à quarante minutes.

– Tu es gentil, mais non. Je vais chercher un emploi en ville. Habiter ici est plus logique, j'aurai moins de trajet à faire. D'ailleurs, j'ai grandi dans cette maison, ajouta-t-elle crânement. Elle est pleine de souvenirs heureux.

– Admettons, dit Brian d'un ton dubitatif. Tu ne veux vraiment pas que j'entre avec toi ?

– Non, ce n'est pas nécessaire, je t'assure. Ça va.

– J'attends quand même que tu sois à l'intérieur.

Elle ne protesta pas. Elle sortit de la voiture, prit son sac de voyage sur la banquette arrière et salua son oncle d'un geste de la main. Il la regarda contourner les plaques de neige et gagner le perron.

Elle déverrouilla la porte. Le vestibule était plongé dans l'obscurité, mais il avait toujours l'odeur qu'elle connaissait si bien. Elle entra.

Immobile, elle attendit. Elle attendit que son père, en chemise de flanelle LL Bean, une tasse de thé dans les mains, ses lunettes demi-lune sur le nez, apparaisse sur le seuil de la cuisine, lui sourie et dise tendrement : « Hello, ma grande. » Elle attendit que sa mère, à l'étage, l'appelle : « Chérie, c'est toi ? Tu es rentrée ? »

Il n'y eut que le silence. Désormais et jusqu'à la fin de ses jours, il n'y aurait que le silence. Elle n'entendrait plus jamais ces mots banals, ces voix. Oui, c'est moi, maman. Je suis rentrée.

L'oncle Brian n'avait pas menti. Tout fonctionnait. Elle put allumer les lampes pour chasser l'oppressante sensation d'être engloutie dans les ténèbres. Elle erra comme une étrangère dans le décor familier qu'elle voyait désormais à travers le prisme de son deuil. Pénétrer dans chaque pièce était une épreuve. Ranger son manteau dans la penderie, prendre un verre dans un placard – le moindre geste était une douloureuse première. Pourtant, elle avait déjà été seule ici. Fille unique, elle avait souvent eu la maison à sa disposition. Elle s'imaginait alors repeignant les murs dans des couleurs différentes, changeant tout en fonction de ses goûts d'adolescente.

Maintenant, elle pouvait faire ce qui lui chantait. Elle était propriétaire de la maison, sans personne avec qui la partager. Elle y vivrait en solitaire, et chaque pas lui rappellerait cette écrasante réalité. Aurait-il été plus facile de se retrouver ici en compagnie d'un frère ou d'une sœur ? Oui, sans aucun doute. Avoir près de soi quelqu'un qui comprenait, qui éprouvait le même chagrin, eût été un réconfort.

Mais à quoi bon se poser ces questions ? Être fille unique ne lui avait jamais pesé. Son père, lui aussi fils unique, n'avait jamais considéré que c'était un problème. Tandis que sa mère, parfois, se tourmentait, notamment quand Alex avait eu du mal à s'intégrer à l'école. Elle regrettait, disait-elle, de ne pas lui avoir donné un frère ou une sœur. Cela laissait Alex de marbre. Elle avait ses chiens, ses chats, des amis, des voisins. Tout allait bien. Les inquiétudes de sa mère lui passaient au-dessus de la tête.

Aujourd'hui, elle les comprenait. Pourtant, elle n'aurait rien voulu changer à son histoire. Si l'on avait le pouvoir de modifier un élément du passé, tout ce qui en découlait serait également modifié. On risquait fort de s'en mordre les doigts.

Ces réflexions ne menaient à rien, cependant elle les rumina en mangeant seule dans la cuisine, en verrouillant les portes et en allant se coucher, seule, dans sa chambre. Peut-être que si elle avait un mari... ou des enfants. Mais elle avait fait d'autres choix, elle s'était concentrée sur ses études, sa future carrière. Comment se serait-elle doutée que sa famille disparaîtrait en une fraction de seconde ? Personne ne s'attendait à un pareil destin.

Durant les jours suivants, alors qu'elle reprenait ses marques, son téléphone sonna à tout bout de champ : ses amis de Seattle la soutenaient. Vider la maison semblait une tâche impossible, Alex envisagea même un instant de tout planter là et de s'en aller. Dès qu'elle ouvrait un tiroir ou une porte, la vue des objets personnels de ses parents remuait le couteau dans la plaie.

Elle savait bien ce que sa mère lui conseillerait. Tout balancer, donner leurs affaires à ceux qui en avaient vraiment besoin. Elle alla donc chercher des cartons à l'épicerie et entreprit d'emballer habits et chaussures pour l'Armée du Salut.

Chaque jour, à son réveil, elle se sentait de nouveau déprimée, atterrée. Dans le bureau de son père, le cœur lourd, elle contemplait les livres qui tapissaient les murs. Qui en voudrait? On ne collectionnait plus les livres, sauf s'ils avaient de la valeur. Or, dans ce domaine, elle n'y connaissait rien. Elle nota de contacter les collègues de son père au musée de la Guerre de Boston, où il avait été curateur. En attendant, les bouquins resteraient sur les étagères. Ils ne gênaient pas.

Pour son premier week-end à la maison, elle fut invitée au traditionnel Noël du quartier. D'abord elle refusa, mais les vieux amis et les voisins de ses parents la supplièrent de venir. Le soir de la fête, elle traîna tant qu'elle put, jusqu'à ce qu'il soit presque trop tard, puis finit par traverser la rue au pas de course, sans manteau. Elle arriva toute frissonnante chez Laney Thompson. C'était elle qui, cette année, recevait le voisinage.

– Alex! s'exclama Laney en la serrant affectueusement dans ses bras. Tu es là, comme je suis contente. Tiens, regarde qui vient te dire bonjour!

Alex sentit un animal se frotter contre ses jambes : le chat calico de ses parents, Castro. Aussitôt, les larmes lui montèrent aux yeux. Laney l'avait recueilli après la mort des Woods. Alex lui en avait été reconnaissante, car dans son immeuble de Seattle les bêtes n'avaient pas droit de cité. Mais revoir Castro réveillait des souvenirs à la fois doux et poignants.

Elle s'accroupit pour lui gratouiller le cou.

– Salut, mon vieux, murmura-t-elle. Tu ne m'as pas oubliée ? Comment tu vas ?

– Il est en pleine forme. Il a adopté la maison, mais si tu veux le reprendre...

– Non, non. Il a l'air heureux ici.

– Bon, mais si tu changes d'avis, tu n'auras qu'à me le dire. Maintenant, arrête de t'occuper de ce matou. Il y a un tas de gens qui ont très envie de te voir.

Alex s'essuya les yeux, se redressa. Laney lui étreignit la main pour lui donner du courage, puis la pilota dans la maison qui embaumait le sapin et la cannelle. Elle lui mit un verre de punch dans les mains et demeura à ses côtés tandis que les voisins défilaient pour l'embrasser et lui souhaiter la bienvenue.

– Tu te souviens de Seth ? demanda Laney, quand un homme grand, en veston de tweed sur un T-shirt noir, s'approcha. (Il avait les cheveux bruns, ondulés et mal peignés, des yeux très sombres derrière des lunettes à monture noire.) Il est professeur à l'université de Chicago, ajouta-t-elle.

Alex opina. En fait, elle n'avait pas revu Seth Paige et sa sœur aînée, Janet, depuis longtemps. Tous deux avaient leur bac en poche lorsqu'elle était entrée au lycée. Ils s'étaient croisés, au fil des ans, lors des fêtes de quartier. Janet, maintenant mère de deux enfants, avait assisté avec son père aux obsèques des Woods.

– Bonsoir, Seth. Comment vas-tu ?

– Bien. Je tenais à te dire combien je suis navré. Je n'ai pas pu revenir de Chicago pour l'enterrement, mais Janet et papa m'ont tenu au courant.

– Merci, répondit Alex qui se raidit.

Elle refusait de parler du décès de ses parents. C'était justement pour cette raison qu'elle avait essayé d'échapper à cette soirée.

– Tu es là pour les fêtes ? dit-elle d'un ton vif.

– Mon père a été opéré, il fallait quelqu'un pour s'occuper de lui. Janet avait prévu de passer Noël dans sa belle-famille en Virginie, moi je suis en vacances, du coup… j'ai été choisi.

– Il va mieux ? Ton père ?

– Il se rétablit tranquillement. Alors, comme ça, tu es de retour pour de bon ?

Alex haussa les épaules.

– Je vais chercher un poste à Boston. J'ai eu mon diplôme en management des arts et de la culture.

– Tu comptes travailler dans un musée ?

– Les musées, les galeries d'art…

– Comme ton père, n'est-ce pas ? Figure-toi qu'il m'a beaucoup aidé quand je rédigeais mon mémoire. C'était un grand spécialiste de la Révolution américaine, une encyclopédie vivante. Et un homme formidable.

Au bord des larmes, Alex hocha la tête.

– Oui, je… merci. Ravie de t'avoir revu.

Elle lui adressa un vague sourire et se détourna, feignant de regarder le buffet. Dès qu'il se mit à bavarder avec une autre personne, elle posa son verre de punch sur la table et se dirigea vers le vestibule. Avant de sortir, elle remercia Laney qui voulut la retenir. Mais Alex fit la sourde oreille et se réfugia en hâte chez elle. C'est à cause de Noël, se dit-elle en éteignant la lumière du perron. Ça rend les choses encore plus difficiles.

Elle était de retour depuis une semaine, lorsqu'une femme lui téléphona.

– Ici l'étude de Me John Killebrew. Il était le notaire de vos parents.

– Oui, j'ai fait sa connaissance au moment des obsèques.

– Il m'a demandé de vous fixer un rendez-vous, ici à l'étude. Il souhaite s'entretenir avec vous.

Alex se sentit aussitôt coupable. Aurait-elle négligé certaines formalités ? Ces deux derniers trimestres, elle avait eu de la peine à se consacrer aux études et, parallèlement, à prendre certaines décisions concernant la succession. Hormis la maison, l'héritage n'était pas considérable, mais il y avait plusieurs comptes bancaires, des assurances, et quelques crédits à solder. L'oncle Brian, nommé exécuteur testamentaire par les Woods, avait presque tout réglé, sans omettre toutefois de demander systématiquement l'avis d'Alex.

– D'accord.

– Demain dix heures, cela vous conviendrait ? proposa la secrétaire.

Alex jeta un coup d'œil aux vêtements qu'elle n'avait pas encore triés, aux cartons à moitié pleins, sur la table de la salle à manger.

– Dix heures, entendu.

18

L'étude de Me Killebrew se trouvait dans une demeure victorienne du centre de Chichester, la ville où Alex avait grandi. Elle passait souvent devant, son cartable sur le dos, quand elle allait au lycée. Elle ne se doutait pas que, moins de dix ans après, elle serait orpheline et s'efforcerait d'assimiler la multitude de questions financières et juridiques soulevées par le décès brutal de ses parents.

La majeure partie des problèmes avait été réglée au cours des six derniers mois. Alex était venue ici deux fois parapher une tonne de documents. Son oncle Brian s'était chargé du reste, mais il y avait probablement quelques derniers détails à examiner.

Elle s'avança vers la réceptionniste, une dame à lunettes, d'âge mûr. Un silence feutré régnait dans l'étude, on se serait cru dans un club anglais réservé aux gentlemen.

– Bonjour. Je suis Alex Woods.

Son interlocutrice lui sourit gentiment.

– Je vous avais reconnue. Me Killebrew vous attend. Allez-y. La porte au fond du couloir.

– Oui, je sais où c'est. Merci.

– Je le préviens de votre arrivée.

Quand Alex pénétra dans le bureau, le notaire – un homme grisonnant – se leva de son siège et vint lui serrer la main.

– Tenez, asseyez-vous, dit-il, désignant un fauteuil en cuir marron. Comment allez-vous ?

– Oh, j'essaie de vider la maison. Ce n'est pas simple.

– Je m'en doute.

– J'ignorais si vous souhaitiez que mon oncle

m'accompagne ou pas. En tant qu'exécuteur testamentaire…

– Non, répondit le notaire d'un air grave. Sa présence n'est pas nécessaire. En fait, cet entretien n'a pas de rapport avec la succession.

– Ah ?

Il croisa les bras sur sa poitrine.

– Alex… j'ai quelque chose à vous remettre, dit-il et il lui tendit une enveloppe.

Elle reconnut aussitôt l'écriture nette, une écriture de comptable.

– Une lettre de ma mère ?

Me Killebrew opina.

– Dois-je la lire tout de suite ? balbutia Alex, bouleversée.

– Ce serait préférable, je crois. Vous aurez peut-être des questions à me poser.

Elle décacheta l'enveloppe de ses doigts tremblants, déplia la feuille de papier et lut :

Ma fille chérie,

Lorsque tu liras cette lettre, je ne serai plus de ce monde. J'ai demandé à Me Killebrew de la garder, au cas où je disparaîtrais avant ton père, et de te la donner. J'espère qu'ensuite tu ne me mépriseras pas. J'ai la conviction que tu comprendras.

Il y a longtemps de ça, alors que j'étais encore une adolescente, je suis tombée enceinte. J'ai été élevée dans la foi catholique, pour moi avorter n'était pas envisageable. Je me suis réfugiée dans un foyer pour mères célibataires, j'ai accouché et confié ma fille à l'adoption. On m'a assuré qu'elle serait dans une bonne famille. Puis, comme

20

prévu, je suis entrée à l'université, j'ai obtenu mon diplôme et j'ai rencontré ton père. Tu connais la suite.

Après ta naissance, il y a eu des complications, si bien que je n'ai pas pu avoir d'autres enfants. J'ai toujours regretté de ne pas t'avoir donné un frère ou une sœur. Savoir qu'en réalité tu avais une sœur dont tu ignorais l'existence me tourmentait. Malheureusement, il m'est impossible de te parler d'elle, puisque c'était une adoption plénière. J'espérais qu'elle ferait des recherches pour me retrouver, mais jusqu'ici elle s'en est abstenue.

Je ne sais pas non plus quelle sera ta réaction, mais je ne voulais pas m'en aller sans te dire que tu as, quelque part, une sœur. Ma chérie, si tu désires tenter de la retrouver, tu as ma bénédiction. Et si tu estimes devoir informer ton père du contenu de cette lettre, libre à toi. C'est à toi de décider. Moi, durant toutes ces années, j'ai choisi de garder le secret. Il aurait sans doute compris, comme tu comprendras, mais c'était mon secret. Pourtant je pense que tu as le droit de savoir : tu as une sœur. Je suis certaine que tu prendras la bonne décision. Je t'aime plus que tout au monde.

Ta maman

Alex relut la lettre. Son cœur cognait, ses mains étaient glacées. Finalement, elle regarda le notaire.

– Vous étiez au courant ?

– Oui, votre mère m'a tout raconté. Elle se fiait à mon jugement. A priori, elle voulait que cette information reste entre elle et vous.

– Elle n'a jamais rien dit à mon père.

– En effet. Et le sort a voulu que votre père ne lui survive pas. J'ai préféré attendre quelques mois avant

21

de vous donner cette lettre. Il m'a semblé que, si je le faisais tout de suite après le décès de vos parents, ce serait… trop.

– Je vous remercie.

– Je ne sais pas ce que vous envisagez de…

– Moi non plus, je ne sais pas.

– Prenez le temps d'y réfléchir. Rien ne presse.

– Mais pourquoi elle ne me l'a pas dit ? s'exclama Alex.

– Je l'ignore. Elle avait ses raisons.

– Je suis… sidérée, dit Alex d'une voix où perçait de la rancœur.

– Évidemment. Dans l'immédiat, c'est normal. Mais cela pourrait être une consolation pour vous, Alex – avoir une sœur…

– Je ne veux pas d'une sœur que je ne connais pas, coupa-t-elle, furieuse, les larmes aux yeux. Je veux mes parents.

Me Killebrew ne répliqua pas. À quoi bon rappeler à Alex que son souhait était puéril ? Elle essuya ses yeux d'un geste impatient.

– Je suis navrée, maître Killebrew. Vous n'êtes pas responsable. Écoutez, je… si je décidais de retrouver cette… femme…

– Je ne vous mentirai pas, il y a des obstacles. Dans une adoption plénière, seul l'enfant adopté a le droit d'entamer une procédure pour retrouver ses parents biologiques. Néanmoins, vous avez la possibilité de demander au tribunal l'accès au dossier. Le juge tranchera. Et ici, à l'étude, nous pouvons vous aider dans ces démarches.

– Je ne sais pas, marmonna Alex, affaissée dans son fauteuil, tenant la lettre du bout des doigts.

– C'est un gros morceau à digérer. Rentrez chez vous, réfléchissez.

Parce que j'ai le choix, peut-être ? faillit-elle riposter, mais elle se borna à répondre :

– Oui, c'est ce que je vais faire.

2

PENDANT TROIS JOURS, Alex ne pensa qu'à cette
sœur inconnue. Il lui était moins pénible de se
demander si elle devait ou non la rechercher que
d'affronter la perspective de ce premier Noël sans
ses parents. Quand elle arpentait le grenier, en
quête de papier d'emballage, ou essayait de confec-
tionner les caramels de sa mère – une tentative qui
se solda par un échec lamentable –, elle était accablée par ces fêtes de fin d'année dont tout le
monde se faisait une joie. Elle refusait tout ça. Elle
voulait passer Noël seule dans une pièce obscure,
cachée sous une couverture. Mais son oncle et sa
tante ne le permettraient pas. Poussés par leur bon
cœur, ils étaient fermement décidés à la recevoir
chez eux, à lui rappeler qu'elle avait toujours une
famille, même si elle n'en avait plus le sentiment.
Et, bien sûr, elle savait ce que ses parents souhaite-
raient : qu'elle se force un peu.

La veille de Noël, elle sécha la messe de minuit et
resta en pyjama et peignoir jusqu'au lendemain
après-midi. Elle répondit succinctement aux coups
de fil et aux textos. Vers deux heures, elle fut surprise

d'entendre la sonnette. Elle entrebâilla la porte : Seth Paige était là, une bouteille de vin sous le bras, une boîte de biscuits de Noël à la main.

Il lui sourit, puis se rendit compte qu'elle était en pyjama et parut déconcerté.

– Joyeux Noël, dit Alex.

– Tu… tu le passes toute seule ?

– Non. Je ne… euh… je ne suis pas encore habillée, voilà tout. Qu'est-ce qui t'amène ?

– Je t'apporte un remontant, dit-il en montrant la bouteille. Et quelques petits gâteaux. Janet a eu un accès de fièvre pâtissière avant de partir.

Alex ouvrit la porte et prit les cadeaux.

– Tu veux entrer ? dit-elle d'un ton peu engageant.

Seth hésita.

– Oui, volontiers. Juste un instant.

Elle resserra la ceinture de son peignoir, il la suivit dans le vestibule où s'entassaient les cartons, et dans le salon où elle se posa sur le bord du canapé, la bouteille calée dans le creux de son bras, la boîte de biscuits sur les genoux.

Seth s'assit dans le fauteuil et frotta l'une contre l'autre ses belles mains larges.

– J'ai voulu te voir, parce que je me sens mal depuis l'autre soir. Tu as quitté la réception après que j'ai parlé de ton père, bêtement.

– Oh, tu n'y es pour rien, je n'étais simplement pas d'humeur à faire la fête. Et ce que tu as dit de papa était très gentil.

– Alors comme ça, tu passes ton temps ici toute seule ? demanda-t-il brusquement, d'un air réprobateur.

Alex soupira, contempla le chaos environnant.

– Eh bien, j'essaie de déblayer la maison. Un travail qui s'effectue en solo, vois-tu.

– Un douloureux travail.

– Oui. Je ne sais pas quoi faire de tout ça. Les vêtements. Les Tupperware – je crois que ma mère n'en a pas jeté un. Et les livres de mon père… Ils t'intéresseraient ? Les jeter m'est insupportable.

– Je viendrai y jeter un œil. Promis.

– Pourquoi pas maintenant ?

– Non, une autre fois. Aujourd'hui, c'est Noël.

– Oui, bredouilla Alex, gênée.

– Je sais ce que tu ressens, dit-il après un silence. Je me souviens du Noël qui a suivi le décès de ma mère. Je n'avais que douze ans, mais je n'ai pas oublié. Elle était morte, c'était horrible, et ce Noël-là… franchement, il restera gravé dans ma mémoire.

Alex esquissa un sourire, il lui semblait que l'étau se desserrait. Seth savait ce que c'était, en effet. Elle-même n'avait aucun souvenir de Mme Paige, mais les voisines ne se privaient pas de caqueter, répétant que ce devait être affreux pour M. Paige d'élever seul ses enfants.

– Je te comprends, dit-elle. Ce n'est vraiment pas la joie.

– Tu ne vas pas rester là, à te morfondre, n'est-ce pas ? Tu pourrais te joindre à nous. Mon père ne bouge pas beaucoup de son fauteuil, mais nous avons de quoi manger, nous avons des guirlandes et un pot-pourri de chants de Noël, comme il se doit.

– Merci, répondit-elle, amusée. C'est très gentil, mais je dîne chez mon oncle et ma tante.

– Vrai de vrai ?

– Parole de scoute, dit Alex qui, gauchement, leva l'index et l'auriculaire. D'ailleurs, il faudrait que je m'habille. Merci pour les biscuits et le vin.

– Ne me remercie pas.

Seth regagna le vestibule et Alex, traînant ses chaussons, lui emboîta le pas. Soudain, il se tourna vers elle et l'embrassa sur la joue.

– Je sais que tu n'as pas le cœur à ça, mais… je te souhaite quand même un bon Noël, Alex.

Un flot de sensations la submergea : ses cheveux bruns et soyeux qui lui frôlaient le visage, la monture de ses lunettes, son odeur d'homme, sa joue râpeuse. Elle se demanda avec angoisse si elle s'était brossé les dents. Mais déjà il refermait la porte sans bruit.

Elle déposa ses cadeaux de Noël dans la cuisine. Seth était si attentionné…

Puis, sans enthousiasme, elle monta à l'étage se préparer. Elle opta pour un pull vert foncé, une longue jupe noire, étroite, et des bottes noires. Dans la chambre de ses parents, sur la commode, elle prit une chaîne et un pendentif en forme d'étoile qu'elle avait offerts à sa mère, des années auparavant. L'étoile étincelait sur son pull sombre.

Elle se peigna, se maquilla pour dissimuler son teint blafard et ses cernes. Elle ne voulait pas être le Grinch[1], le croquemitaine de service. Pour ses neveux, Aiden et Finn, c'était un jour d'allégresse.

_____

1. Référence au livre de Theodor Seuss Geisel, publié en 1957 : *Le Grincheux qui voulait gâcher Noël.* Cet ouvrage fut adapté en dessin animé puis au cinéma en 2000 sous le titre : *Le Grinch.*

Même si c'était pour elle le pire moment de sa vie, elle ne gâcherait pas leur Noël.

Bon, il était temps d'y aller.

La maison des Reilly ruisselait de lumière, embaumait la dinde rôtie. Il y avait de l'excitation dans l'air, essentiellement celle d'Aiden et Finn, et de leurs cousins – les neveux et nièces de Jean. Mais Alex lut de la tristesse dans les yeux de son oncle lorsqu'il l'embrassa.

– Je suis content que tu sois là.

– Nous avons toujours été là pour Noël, dit-elle avec courage.

Brian s'éclaircit la gorge :

– Et tu seras toujours la bienvenue. Toujours. N'oublie pas ça.

– Brian, tu nous sers l'eggnog ? l'apostropha Jean.

Alex repoussa doucement son oncle.

– Dépêche-toi. Ça ira, ne t'inquiète pas.

Et, de fait, tout se passa bien pour Alex. Les membres de la famille de Jean se montrèrent pleins de sollicitude et de bonne volonté. Les enfants furent bruyants, le dîner délicieux, comme d'habitude. Alex mit son point d'honneur à aider sa tante au maximum.

Ce fut seulement lorsque la soirée toucha à sa fin, que le calme revint et que la plupart des invités furent partis, qu'elle retomba dans la mélancolie. Elle s'assit au salon, dans un fauteuil près du sapin, contemplant les décorations chatoyantes et les guirlandes.

Elle avait le cœur gros. Pourquoi avait-elle promis de passer la nuit ici ? Sans doute parce que, la veille, elle s'était défilée. La perspective de ses jeunes cousins trépignant dès l'aube, exigeant qu'elle sorte de son lit pour déballer les cadeaux... non, pas question. Alors elle avait accepté de rester ce soir, de ne pas conduire après l'eggnog et le champagne. D'ailleurs, faire le trajet dans la nuit pour rentrer dans une maison déserte ne l'emballait pas non plus. Maintenant, elle regrettait sa décision. Elle aurait voulu pouvoir s'en aller.

Brian la rejoignit et s'assit pesamment sur le canapé.

– Hou... les garçons sont sur orbite. Surtout Finn. Il a abusé de Noël.

Alex sourit, les yeux rivés sur le sapin, ravalant ses larmes.

– C'était un très agréable Noël.

– Oh, ma pauvre Alex... Je suis navré, je sais combien c'est douloureux pour toi.

Elle sentait qu'il s'apprêtait à parler de leurs chers disparus. Cela la paniqua. Elle en avait marre des fêtes de fin d'année, marre d'être forte. Pas de compassion, sinon elle finirait par éclater en sanglots.

– J'ai quelque chose à te dire, attaqua-t-elle.

– Je t'écoute.

– Cette semaine, j'ai reçu un cadeau de Noël... très particulier.

Il parut désappointé et soulagé à la fois.

– Ah bon ?

– Me Killebrew m'a demandé de passer à l'étude. Maman l'avait chargé de me remettre une lettre après sa mort.

– Vraiment ? Et qu'y a-t-il dans cette lettre ?

– Tu es peut-être au courant, non ?

– Je ne crois pas. Au courant de quoi ?

– En réalité, je ne suis pas fille unique.

Brian écarquilla des yeux stupéfaits.

– Comment ça ?

Alex prit une profonde inspiration.

– Eh bien, maman est tombée enceinte quand elle était adolescente et elle a… elle a eu un bébé qu'elle a confié à l'adoption.

Brian la dévisageait d'un air éberlué.

– Quoi ? Non… ce n'est pas possible.

– Donc tu l'ignorais.

– Mais oui. Il doit s'agir d'une erreur, ce n'est pas…

– Je ne pense pas qu'elle ait inventé cette histoire.

– Bien sûr, évidemment. Mais… je l'aurais su !

– Su quoi ? demanda Jean qui vint s'écrouler sur le canapé à côté de son mari. Seigneur, je suis vannée. Nos garçons ont eu un beau Noël, ajouta-t-elle gaiement.

– Oui, c'était un beau Noël, dit Alex.

Jean était toute menue, les yeux immenses, les cheveux très courts, savamment hérissés sur le crâne. Elle avait l'air d'un oiseau.

– Tu es un brave petit soldat, Alex, dit-elle en lui tapotant le genou. Tu t'es évertuée à nous faciliter les choses.

Alex sourit tristement. Elle aimait beaucoup sa tante, toujours calme quelles que soient les circonstances. Son inébranlable pragmatisme l'avait aidée à tenir le coup ces derniers mois.

– Franchement, j'ai passé une excellente soirée.

Jean poussa un soupir, Brian lui massa machinalement les épaules.

31

– J'ai l'impression de vous avoir interrompus, reprit Jean. De quoi discutiez-vous ?

Le visage de Brian se crispa. Il ne répondit pas immédiatement, choisissant ses mots.

– Il semblerait que… Alex vient de m'apprendre que Cathy avait laissé une lettre chez son notaire. À l'adolescence, elle a eu un bébé qu'elle a confié à l'adoption.

– Catherine ? Tu me charries.

Il secoua la tête.

– Ouah…

– Comme tu dis, fit Alex.

– Quoique… Catherine a toujours été une fervente catholique. Je ne l'imagine pas agissant autrement si elle était enceinte, déclara pensivement Jean.

– Mais c'est tout le problème, justement, protesta Brian, fourrageant dans ses cheveux qui se clairsemaient. Elle n'a jamais été enceinte. Je m'en souviendrais, nom d'une pipe.

– Ce serait arrivé à l'époque où elle devait entrer à l'université, précisa Alex. Elle a eu son bébé dans un foyer pour mères célibataires, je ne sais où.

– Chéri, tu avais quoi… douze ou treize ans ? À cette époque, tu n'avais pas la moindre idée de ce qui se passait dans la vie de Cathy.

Brian haussa les épaules, une façon d'admettre que l'observation de sa femme n'était pas fausse.

– Oui, peut-être que…

– C'est certain, trancha Jean. Ce bébé… c'était un garçon ou une fille ?

– Une fille, répondit Alex.

– Qui devrait donc avoir… si je calcule bien… une petite trentaine d'années ?

– Sans doute.

– Sais-tu ce qu'elle est devenue ? Cathy était en contact avec elle ?

– Elle espérait que cette fille essaierait de la retrouver, mais il semblerait que son souhait n'ait pas été exaucé.

– Quelle histoire ! Je n'aurais jamais cru ça de ta mère.

– Moi non plus, dit Alex.

– Et qui était le père ? Elle l'a mentionné dans sa lettre ?

– Non, pas un mot là-dessus.

Jean décocha à son mari un regard interrogateur.

– Quoi ? grogna-t-il.

– Qui était-ce ?

– Mais de quoi tu parles ?

– Du père. De qui aurait pu être ce bébé ? Tu te souviens des petits copains de ta sœur ?

– Elle devait être en terminale, ajouta Alex.

– Au lycée ? rétorqua Brian. Non, Cathy n'avait pas de petits copains. C'était une bûcheuse. Et toujours partante pour faire du bénévolat ou du baby-sitting.

– Pas de flirts ? dit Jean. J'ai du mal à y croire.

Pas moi, songea Alex. Sa mère, pour la rassurer, lui répétait que ne pas avoir de flirts au lycée ne condamnait pas une fille au célibat. Quand tu auras quitté le nid, lui promettait-elle, tout sera différent.

– Si elle avait eu un copain, à l'époque, tu t'en serais rendu compte ? demanda Jean, dubitative.

– Elle n'en avait pas, s'obstina Brian.

Un silence.

– À moins que…

– Oui ? fit Alex.

– Il y avait bien un garçon, mais je ne pense pas qu'ils auraient… enfin, tu vois ce que je veux dire…

Jean se redressa, dévisageant son mari.

– Qui était-ce ?

– Cathy donnait des cours de math à des gamins. Enfin, des gamins… des élèves de son âge. Notamment à un garçon qui n'arrivait pas à suivre. Il s'appelait Neal. Neal Parafin. Un désastre ambulant. Il avait sans cesse des ennuis. Il se faisait exclure du lycée, les flics l'avaient dans le collimateur. Un délinquant, en résumé. Il avait grandi dans un orphelinat. Les religieuses le soutenaient, elles avaient demandé à Cathy de l'aider. Et, dès qu'il s'agissait d'aller à la rescousse d'une brebis égarée, Cathy fonçait.

« Bref, elle lui donnait des cours particuliers à la maison, et de temps en temps notre mère lui proposait de rester dîner. Il ne parlait pas beaucoup. C'était un taciturne, et maussade avec ça. Il avait les cheveux longs, je me souviens. Maigre comme un clou, les yeux cernés. Il ne respirait pas la santé. Et il était toujours sur ses gardes, ça aussi je m'en souviens. Mais il était très attaché à Cathy. Ça ne plaisait d'ailleurs pas à nos parents. Je les entendais souvent en discuter.

Alex se remémora les photos de lycée de sa mère. On y voyait une fille à l'air sérieux, aux cheveux frisés, blond vénitien, coiffés en une queue de cheval qui dégageait son doux visage rond. Qu'elle ait aidé

34

ce garçon marginal lui ressemblait tout à fait. Elle n'avait jamais cessé de tendre la main aux jeunes en danger, par le biais des établissements scolaires ou des associations caritatives.

– Et alors, qu'est-ce qui s'est passé ? demanda Jean.

– Eh bien, c'était la fin de l'été, Cathy s'apprêtait à partir à l'université. Neal était en colère. Il était toujours de mauvais poil, mais là… ça empirait. En fait, il voulait qu'elle s'enfuie avec lui. Je l'ai appris plus tard. Après les événements.

– Quels événements ? interrogea Alex d'un ton circonspect.

– Une nuit du mois d'août, il faisait très chaud, Neal a débarqué. Il voulait emmener Cathy se balader dans sa bagnole. Il avait une espère de guimbarde, la seule chose qu'il possédait. Il en était très fier. Si on s'avisait de critiquer ce tas de boue, Cathy prenait toujours la défense de Neal. Elle disait qu'il n'avait pas les moyens de s'offrir une belle voiture. Et ceux qui se moquaient de lui n'étaient que des crétins.

– Cela s'adressait à toi, je présume, dit Jean.

– Exact. Cette nuit-là, elle est montée dans la bagnole. Ils sont restés là, dans l'allée. Ils discutaient, sans doute. Et puis on a entendu le bruit. On l'a tous entendu – comme un pétard qui éclatait. Mon père a poussé un cri. On s'est tous précipités dehors. Cathy était complètement hystérique. Elle était sortie de la voiture, elle tremblait et hurlait. Je n'oublierai jamais. Elle portait sa robe rose et jaune. Couverte de taches sombres. Du sang, mais je n'ai

35

pas compris tout de suite. Neal était affaissé sur le volant.

Les yeux de Jean s'arrondirent.

– Il s'est suicidé ?

– Oui... Il avait une arme. Mon père a appelé la police. Ils sont arrivés immédiatement, il me semble. Mes parents m'ont enfermé dans la maison. Ils ne voulaient pas que je voie Neal de près.

– Mon Dieu, murmura Alex.

– C'était horrible, soupira Brian.

– Tu m'étonnes ! dit Jean.

– Maman ne m'a jamais raconté cette histoire.

– Elle n'en parlait pas. J'y ai fait allusion une ou deux fois et, chaque fois, elle s'est empressée de changer de sujet.

Jean hocha pensivement la tête.

– Alors selon toi, ce Neal pourrait être le père du bébé ?

– Je n'irai pas jusque-là. Pour moi, ils n'étaient pas liés... de cette manière. Il était furieux qu'elle s'en aille, ça oui, mais une grossesse, un enfant... je ne sais pas. À ma connaissance, Cathy est partie à la fac comme prévu. Du moins...

– Du moins, c'est ce que tu croyais, acheva Jean.

Alex avait envie de vomir.

– À ton avis, elle était amoureuse de lui ?

– De Neal ? Cette idée ne m'a jamais effleuré. J'étais convaincu qu'elle le plaignait, voilà tout. Mais mon père disait qu'il aurait dû s'en douter, qu'aider Neal ne pouvait que causer des problèmes à Cathy. Ma mère essayait de le faire taire, mais il continuait, il répétait que jamais il n'aurait dû permettre à ce gamin de mettre les pieds chez nous.

– Et maman, que disait-elle ? demanda Alex.

– Je ne l'ai entendue en parler qu'une seule fois. La nuit du drame. Elle était au salon, avec les policiers qui l'interrogeaient. Elle avait encore sa robe d'été toute tachée de sang, et un gros pull par-dessus. Malgré la chaleur, elle frissonnait de la tête aux pieds. Elle était livide, la figure barbouillée de larmes. Moi, j'étais à l'étage, sur le palier. Je les épiais. Un flic lui a demandé si c'était une querelle d'amoureux. Cathy a répondu que non, ce n'était pas ça. On lui a demandé si elle savait pour quelle raison il s'était tué. Je me rappellerai toujours sa réponse. Elle a dit qu'il ne pouvait pas supporter d'être encore abandonné.

3

CETTE NUIT-LÀ, dans la petite chambre d'amis des Reilly, Alex dormit d'un sommeil agité. Elle rêva qu'un jeune homme perturbé voulait l'obliger à prendre un paquet enveloppé de papier kraft. Elle devait le livrer, lui disait-il. Mais je ne sais pas à qui il est adressé, protestait-elle. Il insistait : Prenez-le. Elle essayait alors de déchiffrer ce qui était écrit sur le papier froissé, malheureusement l'adresse était illisible.

Elle se réveilla en sursaut, accablée de tristesse.

Ce fut sur le chemin du retour qu'elle prit sa décision. Avant Noël, le problème lui paraissait insoluble, mais tout à coup, c'était simple et clair. Elle allait le faire. Elle allait retrouver sa sœur.

Dès le lundi matin, après les fêtes, elle téléphona à l'étude et dit à la réceptionniste qu'elle souhaitait parler à Me Killebrew. Son interlocutrice lui passa aussitôt le notaire.

– Bonjour Alex, dit-il gentiment. Ce Noël n'a pas été trop dur pour vous ?

– Pas trop. Écoutez, j'ai réfléchi. Je veux retrouver ma sœur.

– Ah… très bien.

– Vous disiez que vous pourriez m'aider ?

– Dans cet État, les lois sur l'adoption sont précises. En cas d'adoption plénière, seul l'enfant adopté peut procéder à des recherches. La mère et le père ont le droit de laisser certains renseignements, au cas où l'enfant souhaiterait les connaître. Mais eux n'ont pas accès au dossier de l'enfant. Cette interdiction vaut également pour les proches des parents biologiques.

– Conclusion, je ne peux pas la retrouver, même si je le souhaite.

– Nous avons malgré tout la possibilité de demander à la justice l'accès au dossier. Mais, en principe, ce n'est accordé que si la famille biologique a un besoin indéniable d'en savoir plus. Pour des raisons médicales, par exemple.

– Et nous n'entrons pas dans cette case, rétorqua Alex d'un ton morne. Il n'y a pas d'autre recours ?

– Les choses ont beaucoup changé grâce à Internet, je ne vous apprends rien. Il est infiniment plus ardu d'occulter une information, quelle qu'elle soit. La vie privée, de nos jours, est un concept dépassé.

– Effectivement. Vous pensez que je peux la retrouver sur Internet ?

– Elle est peut-être abonnée à un site spécialisé qu'elle consulte de temps à autre, dans l'espoir de prendre contact avec sa famille biologique.

– Et si ce n'est pas le cas ? On s'arrête là ?

– Pas nécessairement. Notre étude compte, parmi ses employés, un enquêteur qui n'hésite pas à emprunter des chemins de traverse pour dénicher tel ou tel élément dont nous avons besoin.

– Je ne suis pas sûre de bien saisir.

– Disons qu'il prend des raccourcis qui nous sont interdits.

– Oh, je vois…

– Laissez-moi faire, voulez-vous ? Je vous tiendrai au courant.

– Bon, d'accord, dit Alex après réflexion. Cela me semble raisonnable. Je ne sais pas encore ce que je ferai, par conséquent je ne vous demande pas de la contacter. Je désire simplement obtenir les renseignements qui me manquent.

– C'est entendu.

– Eh bien, je… j'attends de vos nouvelles.

– Cela ne tardera pas.

De fait, deux jours après, la réceptionniste de l'étude téléphonait pour lui demander si elle était disponible dans l'après-midi.

– Absolument, dit Alex, le cœur battant.

Lorsqu'elle pénétra dans son bureau, Me Killebrew affichait une mine sombre.

– Alors, maître, vous avez du nouveau ?

Il opina, saisit un dossier. Soudain, son expression effraya Alex. Elle se remémora le récit de son oncle Brian, la tragique histoire de Neal qui avait peut-être été, autrefois, l'amant de Catherine Reilly. Leur relation, née sous une mauvaise étoile, n'avait engendré que du chagrin. Elle serra les dents pour ne pas trahir son angoisse.

Le notaire toussota.

41

– Nous avons localisé votre sœur. Elle s'appelle Dory Colson.

Dory Colson… Alex répéta ce nom qui, c'était étrange, rendait cette inconnue réelle. À sa surprise, elle se sentit au bord des larmes.

– Dory a trente-deux ans, poursuivit Me Killebrew. Célibataire, sans enfants. Elle a été adoptée bébé par la famille Colson et a grandi à Boston.

– Oh…

– Pardon ?

– Si près d'ici ? Nous avons vécu à une demi-heure l'une de l'autre.

– Effectivement, dit-il gravement. Est-ce que… vous voulez en savoir plus ?

– Oui, bien sûr. C'est juste un peu… ça m'étourdit. J'ai une sœur, brusquement. Elle s'appelle Dory. C'est beaucoup.

– Et ce n'est pas tout, marmonna le notaire.

– Votre enquêteur lui a parlé ? Elle sait que j'existe ?

– Non. Elle ne sait rien.

Elle aurait préféré qu'il lui donne le dossier, tout simplement. Elle avait l'impression qu'il la privait d'une chose dont elle était la légitime propriétaire. Elle lirait les documents, elle n'avait plus besoin d'intermédiaire.

– Tous les renseignements sur elle sont dans cette chemise ? demanda-t-elle. Je peux donc la contacter ?

Me Killebrew posa les mains à plat sur le dossier.

– Vous le pouvez. Si vous le souhaitez.

Alex tressaillit.

– Comment ça… si je le souhaite ?

– Vous préférerez peut-être vous abstenir.

– C'est possible, rétorqua-t-elle avec raideur. Mais c'est à moi seule d'en décider.

– Naturellement.

– Puis-je avoir ce dossier, s'il vous plaît ?

Mᵉ Killebrew hésita, gardant les mains sur le dossier comme pour l'empêcher d'exploser.

– Il y a un problème, maître ? dit Alex.

– Vous avez eu une année tellement éprouvante. J'aimerais tant vous annoncer une bonne nouvelle.

– Vous venez de le faire. Je désirais retrouver ma sœur et maintenant, grâce à vous et votre enquêteur, mon souhait va être exaucé.

La mine du notaire s'assombrit encore.

– Je suis terriblement navré de devoir vous dire une chose pareille.

– Mais quoi ?

– Et comment vous le dire ? Il n'y a pas de mots pour atténuer le coup. Votre sœur, Dory Colson, est en prison.

Alex le regarda fixement, incrédule.

– Vous plaisantez ?

– Je ne plaisanterais pas sur un tel sujet.

– Elle est en prison ? Pour quelle raison ?

– Dory Colson est détenue à la prison d'État de Framingham. Elle a déjà purgé deux ans. Elle a été condamnée à vingt ans de réclusion avec une période de sûreté de douze ans.

– Oh mon Dieu ! Mais pour quelle raison ? répéta-t-elle.

– Pour meurtre, répondit-il avec réticence.

– Meur... tre ? bredouilla-t-elle, comme si ce mot n'appartenait pas à son vocabulaire.

– Hélas oui.

– Je ne comprends pas… qu'est-ce que…

– Ce n'est pas ce que vous espériez entendre, j'en suis profondément désolé.

– Qui a-t-elle tué ?

Me Killebrew la regarda droit dans les yeux.

– Sa sœur.

Il y eut un long silence.

– Mais sa sœur, c'est moi, murmura Alex.

– Elle avait une autre sœur. Lauren. Cette jeune femme a été mortellement poignardée, au domicile de la famille Colson, voilà trois ans de ça. Dory a avoué être l'auteur du crime.

Alex eut un mouvement de recul.

– Oh mon Dieu…

– Je suis navré.

– Mais… vous êtes sûr ?

– Absolument sûr. Notre enquêteur a vérifié et revérifié. Je me doutais que ce serait pour vous un choc terrible .

– Mais pourquoi ? Vous le savez ?

– Pourquoi elle l'a assassinée ? Non, je l'ignore.

– Je n'en reviens pas…

Alex songea à sa mère qui, dans sa lettre, l'encourageait à retrouver cette femme. Une meurtrière.

– Si vous décidez de tout laisser tomber, nul ne vous le reprochera. Dory n'en saura rien. Elle n'est même pas informée que vous la recherchez.

– Oui, je vois…, marmonna distraitement Alex.

– Ce n'est pas ce qu'imaginait votre maman lorsqu'elle m'a prié de vous remettre un jour cette lettre.

– Oui… Et vous avez son adresse ? Si je désire la contacter ?

– Tout est dans le dossier. Vous pouvez lui écrire en prison. Pas de courriels, en revanche. Elle n'est pas autorisée à utiliser un ordinateur. Vous pouvez aussi lui téléphoner.

Téléphoner, certainement pas. Pour lui raconter quoi ?

– Puis-je le consulter, ce dossier, s'il vous plaît ?

Me Killebrew le lui tendit.

– Prenez-le, il est à vous.

Alex l'ouvrit, considéra les documents qu'il contenait. Elle referma la chemise et la glissa dans son sac.

– Je suis sincèrement désolé, dit le notaire.

Alex se sentait tout engourdie.

– Vous n'y êtes pour rien. Vous avez simplement fait ce que je vous demandais. Merci, maître, enchaîna-t-elle en se levant. Je vous suis reconnaissante.

– Que comptez-vous faire ?

– Je ne sais pas. Pour l'instant, je suis en pleine confusion. À vrai dire, je ne pensais pas que c'était si important pour moi. Je suis… anéantie.

– Alex, si vous décidez de continuer, soyez prudente. Je vous parle par expérience : les détenus sont toujours à l'affût d'une occasion de…

– Je serai prudente, coupa-t-elle d'une petite voix.

Elle lui serra la main, puis, pressant le pas, quitta l'étude le plus dignement possible. Elle traversa la rue pour rejoindre sa voiture, ouvrit tant bien que mal la portière. Dès qu'elle fut à l'abri des regards, elle ne se contrôla plus et se mit à claquer des dents.

La journée s'achevait, les réverbères s'allumaient un à un. Alex n'avait qu'une envie : rentrer chez elle. Mais elle tremblait trop violemment pour conduire.

Le chagrin l'engloutissait de nouveau. Elle songeait à sa mère qui, depuis l'au-delà, lui avait révélé la vérité. Avec toute sa tendresse, en croyant lui offrir un trésor.

Quelle horreur.

Tu n'as aucune obligation, se dit-elle. Tu n'as pas à t'en mêler. Dory ignore ton existence. Tu peux balancer ce dossier à la poubelle, effacer tout ça de ton esprit. Tu ne dois absolument rien à cette femme.

Elle démarra et sortit du parking. Parfois, se dit-elle encore, le mieux est l'ennemi du bien.

4

Sitôt rentrée à la maison, Alex enfila son pull le plus douillet, se prépara une tasse de thé et se pelotonna dans le fauteuil de son père avec un bouquin. Son regard parcourait les lignes, mais elle ne comprenait rien à ce qu'elle lisait. Elle ne cessait de penser à ce que lui avait appris le notaire. Impossible de faire autrement. Il lui semblait avoir ouvert la boîte de Pandore, maintenant elle ne pouvait plus y reléguer toutes les questions qu'elle avait déchaînées et qui, bourdonnantes, l'assaillaient.

Au bout d'une demi-heure, elle alluma son ordinateur et, se méprisant d'être aussi faible, chercha sur Google : Dory Colson.

Sur l'écran s'affichèrent des gros titres affolants, de mauvaises photos d'une femme au visage flou, menottée, que l'on poussait dans une voiture de police. Alex lut un article, puis un autre, tout en se promettant que ce serait le dernier. Mais elle continua jusqu'à une heure avancée de la nuit. Rien de ce qui avait été publié sur le crime n'échappa à sa curiosité.

Lauren Colson et Dory étaient quasiment du même âge. D'après les journalistes, les Colson avaient durant des années essayé d'avoir un enfant avant d'adopter Dory ; comme cela se produit souvent, Mme Colson était alors tombée enceinte. Au moment de sa mort, Lauren était une étoile montante de la musique country. Elle habitait à Branson, dans le Missouri, et s'apprêtait à démarrer une tournée à travers le pays. La chanteuse était revenue à Boston pour se faire opérer et passer sa convalescence dans le South End, chez ses parents.

Dory, qui vivait toujours sous le toit familial, avait commencé à soupçonner son nouveau petit ami, un certain Rick Howland qui exerçait une profession paramédicale, d'avoir le béguin pour Lauren. Howland et Lauren niaient pourtant avoir une quelconque relation.

On voyait plusieurs photos de Lauren, une blonde souple comme une liane, tout en cuir, jean et mousseline. Les proches de la famille prétendaient que Dory jalousait depuis longtemps le succès de Lauren. La tension entre les deux sœurs s'aggravait. Le jour du meurtre, un livreur du pressing les avait entendues se quereller. Quelques heures plus tard, Dory téléphonait à la police et déclarait avoir découvert le cadavre de Lauren dans l'appartement. Le soir même, elle était arrêtée et inculpée d'homicide.

Ensuite, elle avait plaidé coupable et écopé d'une peine de vingt ans de prison.

Alex resta longtemps immobile, à contempler le curseur qui clignotait. Très bien, se dit-elle. Tu as fait ce que ta mère te demandait, maintenant tu sais. Tu n'as plus qu'à ranger le dossier au fond d'un tiroir et reprendre le cours de ta vie.

Mais, malgré cette sage résolution, elle avait l'impression d'entendre sa mère s'interroger : comment mon enfant a-t-elle pu se retrouver dans cette situation ?

Ce n'est pas mon problème ! Je ne suis pas responsable de ce qui est arrivé à Dory.

– Laisse-moi tranquille, murmura-t-elle.

Le lendemain, Alex se rendit à Boston. Elle était convoquée pour un entretien à la prestigieuse Galerie Orenstein de Newbury Street. Elle s'était habillée avec soin, maquillée pour camoufler ces cernes, mais elle se sentait vulnérable et manquait de confiance en soi.

Tant pis, se dit-elle en attendant le train qui l'emmènerait à Back Bay. Sortir de son trou lui faisait du bien.

Louis Orenstein était un quinquagénaire au bronzage parfait, très élégant dans son costume sur mesure, en soie. Il avait découvert certains des plus grands artistes de notre temps, particulièrement des sculpteurs – or Alex avait une passion pour la sculpture contemporaine. Il cherchait un assistant. Il interrogea Alex sur ses références, en long, en large et en travers, pendant près d'une heure. Quand elle prit congé, il lui déclara qu'il la contacterait. Elle eut le sentiment de lui avoir fait plutôt bonne impression, ce qui lui remonta le moral.

Ensuite, elle s'offrit un cappuccino dans un café de Boylston Street. Elle observa les passants, s'efforça d'imaginer son avenir professionnel. Malheureusement ses pensées revenaient toujours vers Dory Colson.

La veille, alors qu'elle menait sa petite enquête, elle avait très facilement trouvé l'adresse des Colson à Boston. Le South End n'était pas si loin de Back Bay. Laisse tomber, se répétait-elle. Mais l'envie de voir l'endroit où sa mystérieuse sœur avait vécu et commis un meurtre était irrésistible.

Elle sortit dans la rue, jeta un coup d'œil à la station de métro, puis elle partit à pied en direction du South End.

Juste pour voir.

Le South End était devenu à la mode. Les Colson habitaient une rue calme, bordée d'arbres, non loin des boutiques, des bistrots et des salles de spectacle qui animaient Tremont Street naguère moribonde. Alex s'arrêta devant un vieil immeuble en grès, orné de colonnes qui encadraient une porte en bois ciré et luisant. Il avait dû être en son temps l'un des plus beaux bâtiments du quartier. Maintenant, il paraissait nettement moins cossu que ses voisins, restaurés et embourgeoisés.

Pourquoi ne pas franchir cette porte et se présenter aux Colson ? Après tout, Dory était sa demi-sœur. Mais elle ne serait pas la bienvenue, elle en avait la certitude. Immobile au bas du perron, elle hésitait, quand elle entendit un vélo freiner. Un séduisant barbu, ses cheveux bruns tirés en queue de cheval, mit pied à terre. Il frisait sans doute la quarantaine, mais était habillé comme un étudiant, en jean et doudoune.

– Excusez-moi, dit-il, soulevant son vélo et attendant qu'Alex le laisse passer.

Elle s'écarta, il monta les marches. Soudain, il se retourna.

– Je peux vous aider ?

– Je… je cherche les Colson.

– Vous les avez trouvés. Ils habitent au rez-de-chaussée. Vous êtes une amie ?

– Pas exactement.

– Journaliste ? demanda-t-il, suspicieux.

– Non. Pas du tout. Je suis une… une parente.

Le visage de l'homme s'éclaira.

– Oh, eh bien venez.

Alex eut envie de s'enfuir. Au lieu de quoi, elle le rejoignit en haut des marches.

– Au fait, je m'appelle Chris. Chris Ennis. J'habite à l'étage avec ma femme et ma fille. Je suis forcé de trimballer mon vélo et de le laisser dans le hall, sinon un camé me le faucherait. Bon, entrons.

Il poussa la porte, s'effaça devant Alex qui pénétra dans le hall obscur. Elle distingua un escalier menant au premier, une porte sur sa droite, un nom inscrit sous la sonnette.

– C'est l'appartement des Colson, dit-il en attachant au pilastre de la rampe un antivol gainé de plastique. Vous n'avez qu'à sonner. Elaine est peut-être là. Elle travaille au secrétariat de la paroisse catholique. Elle a des horaires souples.

Il prit dans le panier du vélo un sac en papier kraft sur lequel était inscrit : Free World Food[1]. Alex appuya sur la sonnette.

Personne ne répondit. Elle en fut secrètement

_____
1. Marque de produits surgelés de qualité.

soulagée. Elle n'avait jamais eu l'intention d'aller aussi loin.

– Pas de réponse ? lui dit aimablement le barbu.

– Non. J'aurais dû téléphoner avant.

– Vous voulez attendre un peu ? Montez, je vous offre un thé. Je vous présenterai ma fille.

Elle aurait dû partir sur-le-champ, mais la curiosité l'emporta. Chris Ennis semblait bien connaître les Colson. Peut-être avait-il des choses à raconter sur Dory.

– Vous êtes vraiment très gentil, merci.

– Mais non, ce n'est rien.

Alex le suivit.

– Vous habitez ici depuis longtemps ? demanda-t-elle.

– Depuis toujours. Joy et moi, on s'est installés ici avec d'autres jeunes, quand on était à la fac. Garth et Elaine occupaient déjà le rez-de-chaussée. Au début, ils n'étaient pas enchantés d'avoir une bande d'étudiants au-dessus de leur tête. Joy et moi, on est maintenant un vieux couple. Nous avons vécu tous ensemble dans cet immeuble pendant tellement d'années que nous formons une espèce de famille.

Il déverrouilla sa porte. Entrer dans l'appartement des Ennis, c'était remonter le temps pour se retrouver à l'époque de la comédie musicale *Hair*. Des tentures indiennes recouvraient les murs dont le plâtre s'effritait, un énorme symbole de la paix ornait chaque porte. Des bouquins s'entassaient sur des étagères, le mobilier était vieux et délabré. Un chat roux, affalé sur le sol, ne cilla même pas quand Alex l'enjamba. Devant les fenêtres, des plantes débordaient de suspensions en macramé. On entendait une voix frêle et fervente qui chantait sur des accords de guitare.

– Coucou, chérie ! s'écria Chris tout en déballant légumes, riz bio et tofu. C'est ma fille. Elle ne va pas me répondre, elle est perdue dans sa musique.

Alex s'assit au comptoir de la cuisine. Un genre de soleil en papier mâché encadrait une photo de Chris, beaucoup plus jeune, et d'une ravissante fille aux longs cheveux noirs. Elle portait un bandeau agrémenté de perles et de plumes, et avait un grain de beauté au coin de la bouche.

– C'est Joy sur la photo, dit-il fièrement. Ma femme.

– Elle est très belle.

– Oui, approuva-t-il avec un grand sourire. Mais parlons un peu de vous. Je ne crois pas vous avoir déjà vue. Vous êtes de Boston ?

– Non, je viens de Seattle.

– Et vous êtes une parente des Colson ?

Alex n'avait pas l'intention de lui expliquer la situation.

– Une parente éloignée. À vrai dire, je ne les ai jamais rencontrés. Lauren était une chanteuse de country, n'est-ce pas ?

– Tout à fait. C'est dingue, non ? Ce style de musique pour une fille de Boston... Mais bon, Garth est quand même originaire de l'Ouest. Vous êtes de sa famille, ou de celle d'Elaine ?

– Eh bien... ma mère était une cousine de... d'Elaine, répondit Alex au petit bonheur la chance. Elle m'a parlé de ce qui est arrivé à Lauren.

– Quel choc, soupira Chris. Moi qui prenais Dory pour un agneau. Comme quoi on peut côtoyer une personne pendant des années et ne se douter de rien. Je veux dire, ne pas l'imaginer capable d'un tel acte.

— Il semblerait qu'elle était jalouse de sa sœur ?

— Oh, qui ne l'aurait pas été ? Lauren était promise à la gloire. Quand elles étaient gamines, tout tournait autour de ça. Dory allait à l'école publique, tandis que Lauren était scolarisée à domicile pour pouvoir se consacrer à ses leçons de musique, aux auditions. C'était plus pratique, d'accord, mais je pense que Dory l'avait en travers de la gorge.

Chris s'immobilisa soudain, la dévisagea.

— Vous n'êtes pas journaliste, hein ?

— Non, je vous assure, dit Alex, aussitôt envahie par la culpabilité.

Brusquement, la fille de Chris cessa de chanter. Une porte claqua dans le vestibule, et une mince adolescente à l'air éthéré apparut. Ses longues boucles châtains tombaient sur sa petite robe taillée dans une étoffe légère. Elle avait probablement dans les dix-sept ans, mais paraissait plus jeune.

— Papa ?

Elle découvrit alors Alex, fronça le sourcil.

— C'est qui ?

— Hello, mon chou, dit-il gaiement. Tu as fini tes devoirs ?

— Qui est-ce, papa ?

— Euh… quel est votre nom, déjà ?

— Alex.

— Eh bien, Alex, je vous présente Therese.

— Bonjour, Therese. C'est vous qui chantiez ?

— Elle joue aussi de la guitare, précisa Chris avec orgueil. Et elle écrit ses chansons.

– Je vous félicite.

– Alex est une parente des Colson.

– Lauren devait enregistrer une de mes chansons pour son prochain album, dit tristement Therese. Et puis voilà...

– Lauren était l'idole de Therese. Mais entre nous, chérie, elle avait seulement dit qu'elle l'enregistrerait *peut-être*, objecta Chris qui prit deux mugs dans le placard.

– Elle avait promis. Qu'est-ce que tu fabriques ?

– Je fais du thé.

– Maman avait dit que tu m'emmènerais à l'entraînement, ronchonna la jeune fille.

– Ah oui, tu as raison. Ça m'était sorti de la tête. Excusez-moi, Alex, il faut que j'y aille.

– Bien sûr, rétorqua Alex, soulagée. Moi aussi, de toute façon, il faut que j'y aille.

– Je signale aux Colson que vous êtes passée, si vous voulez ?

– Non, ce n'est pas la peine. Je leur téléphonerai. Merci de votre hospitalité.

– Je vous en prie. Essayez de sonner encore chez eux. Peut-être qu'Elaine est rentrée.

– D'accord.

Mais, quand Alex fut en bas et qu'elle entendit Chris Ennis refermer sa porte, à l'étage, elle se hâta de filer.

Dans le train, elle réfléchit à ce qu'elle avait fait. Poussée par une envie dévorante d'en apprendre davantage sur sa sœur, elle avait menti pour s'introduire dans l'immeuble des Colson. Au risque de compliquer d'emblée la situation. Sois honnête avec toi-même, ma vieille, soupira-t-elle. Tu ne t'arrêteras pas là.

Le soir, elle vida quelques tiroirs, se força à manger un plat consistant et regarda un stupide reality show à la télévision. Lorsqu'elle en eut assez d'atermoyer, elle s'assit au bureau de son père, prit un stylo dans une timbale en argent, et une feuille de papier vélin. Elle contempla longuement la page blanche, puis :

Chère Dory, écrivit-elle. *Tu ne me connais pas...*

5

LE MUSÉE DES BEAUX-ARTS la convoqua également pour un entretien. Elle s'y rendit par acquit de conscience, mais cette entrevue n'était que pure formalité – la jeune femme qui la reçut lui laissa entendre qu'il y avait pléthore de candidats. Elle rentra de Boston épuisée et démoralisée.

Elle se débarrassa de son manteau, ramassa le courrier : prospectus, catalogues et factures. Soudain, son cœur fit un bond.

Sur l'enveloppe, l'écriture était nette, aérée. Alex lui trouva une ressemblance troublante avec celle de sa mère. Cela lui coupa le souffle. Elle déchiffra l'adresse de l'expéditeur. Prison pour femmes de Framingham.

La feuille de papier crissa lorsqu'elle la déplia. Elle lut :

Chère Alex

J'ai été surprise de recevoir ta lettre. Je ne sais pas quoi dire. On ne m'a jamais caché que j'avais été adoptée, mais ce n'était pas pour moi un sujet de réflexion.

*Puisque ma mère biologique n'avait pas voulu de moi,
pourquoi j'aurais pensé à elle ? L'idée qu'elle espérait
peut-être que je prenne contact avec elle ne m'a pas tra-
versé l'esprit.*

*Tu m'écris que tu aimerais venir me voir, si j'accepte
de faire ta connaissance. J'ignorais ton existence jusqu'à
l'arrivée de ta lettre, mais si tu désires me rencontrer,
pourquoi pas ? Je suis autorisée à recevoir des visites, il te
faudra donc venir pendant les heures de parloir. Je suis
toujours là, ha ha. Cordialement,*

Dory Colson

Alex s'assit pour lire et relire ces lignes. Elle avait
l'impression de se tenir tout au bord d'un précipice
et de regarder en bas. Jusqu'ici, chaque fois qu'elle
faisait un pas en avant, elle se disait qu'il n'était pas
nécessaire d'aller plus loin. Qu'il était encore temps
de renoncer.

Un pas de plus, et elle serait face à… sa sœur.

Tu devrais oublier tout ça, t'arrêter là.

Mais elle avait atteint le point de non-retour.
Combien d'heures de route, demain, pour se
rendre à la prison de Framingham ?

Alex se gara sur le parking des visiteurs, sortit de la
voiture dont elle verrouilla les portières, obéissant
aux consignes inscrites sur les panneaux apposés un
peu partout. Elle tira sur son pull, rajusta sa veste.
Elle avait consciencieusement respecté le code vesti-
mentaire préconisé sur le site web de Framingham.
Pas de jean, pas de survêtement ni de treillis ou de
tenue suggestive. Pas non plus de sous-vêtements

neufs. Ce détail serait-il vérifié ? C'était bien possible, se dit-elle en frémissant.

La prison se trouvait à la lisière de la ville, dont elle était visiblement coupée – un univers parallèle. Pourtant le bâtiment de briques rouges, avec ses fenêtres surmontées de frontons triangulaires et son drapeau flottant mollement au sommet d'un mât, évoquait plutôt un bâtiment administratif ou les locaux d'une faculté. Mais en y regardant de plus près, on voyait les grillages et les barbelés qui clôturaient les cours. Alex prit une grande inspiration et franchit le seuil. Elle pénétrait dans un monde où plus rien n'était normal.

Elle suivit les flèches menant à l'entrée réservée aux visiteurs, un petit bureau aux parois en plexiglas. Un surveillant en uniforme y était installé, il discutait avec un collègue planté devant une porte intérieure.

– S'il vous plaît ? dit Alex.

Le type fit la sourde oreille et continua sa conversation. Dans le couloir, une robuste femme noire qui lisait un roman sentimental s'agita dans son fauteuil en plastique orange.

– S'il vous plaît ? répéta Alex.

Un long moment s'écoula. Le surveillant derrière le plexiglas continuait à l'ignorer. Alex leva la main pour frapper à la paroi.

Sans lever les yeux de son bouquin, la femme noire murmura :

– Faites pas ça.

Alex lui jeta un coup d'œil. La femme ne la regarda pas. Ses lèvres formaient une ligne inflexible.

– Vaut mieux prendre son mal en patience, ajouta-t-elle.

Alex recula, hésitante. Enfin, le gardien se tut et darda sur elle son regard froid, gris acier. Il ne lui demanda pas ce qu'elle voulait.

– Je… euh… je souhaite voir Dory Colson.

Il fit glisser un bout de papier sur le guichet.

– Votre numéro et une clé de casier. Mettez-y toutes vos affaires, déclara-t-il en désignant les coffres numérotés qui tapissaient un mur.

– Tout ? J'ai apporté des photos. Je peux les…

Mais l'autre se détourna sans un mot. Alex, exaspérée par sa grossièreté, introduisit rageusement la clé dans la serrure d'un casier. Sans résultat.

– De haut en bas, dit la femme toujours plongée dans son roman.

Alex essaya de nouveau, avec succès cette fois.

– Merci, dit-elle en rangeant son sac.

– On peut rien prendre. Laissez tout ce que vous avez sur vous, videz vos poches. Gardez un peu de fric, juste de quoi acheter un ticket pour les distributeurs, expliqua la femme, montrant une machine à côté des casiers.

Alex la regarda d'un air ahuri.

– Ils vont vouloir que vous achetiez quelque chose à bouffer. Il y a des plats chauds dans les distributeurs. Des hamburgers, des trucs comme ça. Mais vous avez pas le droit de faire entrer du pognon à l'intérieur.

– Ah, d'accord.

Alex se campa devant la machine, lut les instructions, glissa un billet de dix dollars dans la fente prévue à cet effet. Il y eut un grand bruit dans les entrailles de la machine qui vomit une carte.

– La paumez pas.

Alex s'assit face à la femme qui la considéra par-dessus ses lunettes demi-lune.

– C'est votre première fois.

Alex acquiesça.

– Vous vous habituerez, dit l'autre d'un ton lugubre.

– J'en conclus que, pour vous, ce n'est pas la première fois.

– Ma fille est ici. Elle a pris six ans. Elle dealait.

– Désolée, grimaça Alex.

– Et vous, qui vous venez voir ?

Alex s'étonna de pouvoir répondre :

– Ma sœur…

Elle hésita. Comment expliquer le crime de Dory ?

– Numéro 412 ! aboya le surveillant.

La femme posa son livre sur le fauteuil, se mit debout.

– C'est moi, soupira-t-elle.

– Merci encore.

Son interlocutrice hocha la tête et se dirigea vers la porte à côté du box. Une sonnerie étouffée retentit. Avec un nouveau soupir, la femme poussa la porte et disparut. Alex changea de position sur son siège, glissa ses mains moites sous ses genoux, attendant qu'on l'appelle.

Mais les minutes s'égrenaient, interminables, et personne ne lui adressait la parole. Elle n'avait pas l'habitude d'être traitée de la sorte, comme un chien, mais elle comprit qu'elle ne gagnerait rien à faire du scandale. Patience, inutile de te mettre ces gens à dos, se dit-elle.

Enfin on énonça son numéro. Elle attendit la sonnerie, entra. Le surveillant lui ordonna de se placer devant le scanner corporel et de vider ses poches. Heureusement qu'on l'avait prévenue.

– Je n'ai que ce ticket pour les distributeurs, dit-elle.

L'autre opina avec indifférence. Il lui commanda d'avancer et, quand elle eut franchi le sas de sécurité, lui indiqua une salle de l'autre côté du couloir.

– Vous vous asseyez à une table, grommela-t-il. N'importe laquelle.

– Merci, répondit-elle poliment.

Elle aurait voulu demander si Dory était déjà là, n'osa pas. Elle traversa le couloir et pénétra dans la pièce, à peu près déserte. La dame au roman sentimental était tout au fond, face à une jeune femme aux yeux battus, un bandana noué sur les cheveux. Il y avait un plateau sur la table. Elles n'avaient pas touché à la nourriture. Ni l'une ni l'autre ne jettèrent un regard à Alex.

Celle-ci opta pour une table à l'écart. Elle pensait qu'un samedi, les visiteurs se bousculeraient, mais il régnait dans les lieux un silence presque irréel, seulement troublé par les annonces que crachotait le haut-parleur.

Elle s'assit, le cœur battant, les yeux rivés sur la porte. On ne la fit pas patienter longtemps. Un surveillant apparut, flanqué d'une détenue en combinaison bleu marine. À la seconde où Alex vit sa sœur, elle comprit avec stupeur qu'aucun doute n'était possible.

Dory Colson était grande, mince, avec des cils presque blancs et des cheveux blond vénitien, frisés et tirés en queue de cheval. De fines taches de son piquetaient son visage. La copie conforme de Catherine Woods, la mère d'Alex. Simplement plus jeune, plus svelte et plus belle.

Ses yeux gris, vides, se posèrent sur Alex. Elle l'observa sans esquisser un sourire.

Alex agita la main. Dory dit quelques mots au gardien qui l'escortait et s'approcha. Alex se leva, paniquée soudain : elle ne savait pas quoi faire. Sans doute devrait-elle embrasser cette personne qui était sa sœur, mais elle n'en avait pas envie. Lui serrer la main ? Cela ne semblait pas convenir non plus. Dory résolut le problème. Elle la salua d'un hochement de tête et s'assit face à elle. Soulagée, Alex reprit sa place.

– Alors comme ça tu m'as trouvée, dit Dory d'une voix sourde.

Surprise par ces paroles, Alex se crut obligée de rectifier :

– Eh bien, ce n'est pas moi. Pas vraiment. Mon notaire a un enquêteur qui...

– Je parlais de la prison, coupa Dory.

– Oh, bredouilla Alex, décontenancée. Oui... je n'ai pas eu de difficultés.

Elle ne pouvait s'empêcher de contempler le visage de Dory, si étranger et familier à la fois. Contrairement à sa mère, Dory avait le regard terne, éteint. C'était l'unique différence entre elles. Catherine était chaleureuse, Dory froide. Sa voix, son sourire fugace vous tenaient à distance. Mais l'incroyable similitude de leurs traits donnait la chair de poule. Alex lui en voulut de ressembler autant à sa mère. Cela lui semblait injuste. Comme si elle avait sur leur mère des droits qu'Alex n'aurait jamais.

Maintenant qu'elles étaient face à face, Alex ne savait que lui dire. Elle avait la tête vide, n'éprouvait qu'un seul et violent désir : s'en aller de cet endroit qui empestait le graillon et le désinfectant.

Tout à coup, elle se souvint du ticket qu'elle serrait dans sa main et dont les coins lui cisaillaient la paume.

– J'ai ce ticket... Tu veux quelque chose ?

Dory regarda les distributeurs avec, au fond des yeux, une lueur d'intérêt qui s'évanouit aussitôt.

– Non merci. Je fais attention à ma ligne.

– Ah bon ? dit Alex, déroutée.

Dory lui décocha un regard presque apitoyé.

– Je ne veux rien.

Sous-entendu : « de toi ».

– Je suppose qu'ici, la nourriture n'est pas géniale, bredouilla Alex.

Quelle idiote ! Critiquer la cuisine de la prison, voilà tout ce qu'elle trouvait à dire à sa sœur.

– Effectivement, ce n'est pas terrible. Riz et patates. Le menu se résume à ça.

– Tu n'as pas envie d'un hamburger ou d'autre chose, tu es sûre ?

– Je crois que ces hamburgers sont à base de patates.

Alex ne comprit pas tout de suite que Dory plaisantait. Elle se mit à rire. Dory se contenta d'un petit sourire.

– Alors comme ça, tu penses qu'on est sœurs, dit-elle.

– Oh, mais nous le sommes. Maintenant que je te vois, les doutes que j'ai pu avoir… Si tu savais à quel point tu ressembles à ma mère… Je t'ai apporté des photos d'elle et de sa famille. Il me semblait que ça t'intéresserait, mais les gardiens m'ont obligée à les laisser à l'entrée.

– Ici, il y a tout un tas de règles à respecter.

– Tu lui ressembles tellement.

Dory fronça les sourcils.

– Je te regarde et j'ai l'impression de voir ma mère jeune. C'est vraiment… bizarre.

Une expression d'agacement se peignit sur le visage de Dory. Alex se tut brusquement. Être comparée à Catherine déplaisait à Dory.

– Je veux dire que… bien sûr, tu es d'abord toi-même, bafouilla Alex.

– Qu'est qui lui est arrivé ? Tu as écrit qu'elle était morte.

– Ma mère ? Mon père et elle ont eu un accident de voiture au printemps. Un chauffard ivre a grillé un feu rouge.

– Désolée, dit platement Dory.

– Merci.

La politesse exigeait qu'Alex interroge Dory sur sa famille. Elle réfléchissait à la façon de formuler sa question, quand Dory demanda :

– Ton enquêteur a aussi découvert qui était mon père ?

Alex songea à ce qu'elle avait appris sur Neal Parafin, le jeune homme perturbé qui s'était suicidé dans sa voiture, devant la maison de Catherine.

– Non… Enfin, peut-être que…

– Quoi donc ? C'est oui ou non ?

– Il est possible qu'un certain Neal…

– Peu importe, l'interrompit Dory, agitant ses longs doigts constellés de taches de rousseur, comme pour effacer sa question.

Il y avait chez elle quelque chose qui rendait Alex malheureuse et anxieuse.

– Je peux faire des recherches plus approfondies, si tu le souhaites.

– Ne t'embête pas. Ça ne m'intéresse pas vraiment. Ils en avaient rien à faire, de moi.

– Ce n'est pas que ma mère ne voulait pas de toi, protesta Alex. Mais à l'époque, elle n'était qu'une très jeune fille. Elle n'aurait pas pu s'occuper de toi. Et Neal… il n'était plus en vie quand tu es née.

– Pourquoi ? Qu'est-ce qui s'est passé ?

– Je te le répète, je n'ai pas la certitude qu'il était bien ton père.

Dory la dévisagea, les yeux étrécis.

– Qu'est-ce qui lui est arrivé ?

Alex déglutit, regrettant d'avoir mentionné Neal.

– Il s'est… suicidé.

Dory opina et, avec une moue, regarda fixement la table.

– Je suis navrée de te l'annoncer comme ça, dit Alex. Ça doit te faire un choc.

– Non, pas vraiment, répondit Dory avec une indifférence étudiée.

Le silence s'installa entre elles. Alex était au bord de la panique. Elle s'était imaginé que leur lien biologique leur faciliterait le dialogue, or c'était le contraire qui se produisait. Elles ignoraient tout l'une de l'autre, depuis toujours. Essayer de rattraper le temps perdu paraissait absurde. Alex refusait d'évoquer le crime qui avait conduit Dory en prison, ce qui lui interdisait de poser certaines questions, notamment sur Lauren.

De son côté, Dory semblait en avoir assez. Elle ne cessait de jeter des coups d'œil à la pendule.

Alors la colère s'empara d'Alex. Elle était venue jusqu'ici, rongée par l'anxiété et le doute. Et maintenant, cette femme bouclée dans sa cellule était trop occupée pour lui consacrer une minute de plus.

— Je t'ennuie à ce point ?

Son ton glacial ne perturba pas le moins du monde Dory.

— J'attends une visite.

Et moi, je compte pour du beurre, faillit objecter Alex, mais elle dit :

— Justement, je pensais qu'il y aurait davantage de visiteurs. Comme on est samedi…

— Le week-end, ce n'est pas mieux que la semaine. Sauf le dimanche.

Dory sortait soudain de son indifférence, ses yeux brillaient, son teint si pâle rosissait.

— Le dimanche, ils amènent les chiens du refuge et ils nous laissent travailler avec eux dans la cour. J'adore les bêtes, surtout les chiens. C'est ce que je faisais avant. Je gardais des animaux pendant l'absence de leurs maîtres, et je promenais les chiens. Je gagnais ma vie comme ça.

— Ah oui ? Moi aussi, j'aime les animaux. Il y a toujours eu un chien et des chats à la maison. Il me tarde d'en avoir de nouveau, dès que j'aurai posé un peu mes valises.

L'enthousiasme de Dory retomba.

— Moi, je n'en ai jamais eu.

– Jamais ? fit Alex qui se sentit privilégiée, donc coupable.

– Ma sœur était chanteuse et allergique aux poils. Alors on n'avait pas d'animaux. Même quand elle est partie, qu'elle s'est installée dans le Missouri, ma mère a dit non. Trop dangereux. Pas l'ombre d'un poil dans la maison, au cas où ma sœur débarquerait à l'improviste.

– Quel dommage, dit Alex, sidérée que Dory évoque si vite Lauren, sa victime.

À cet instant, un surveillant s'approcha pour chuchoter quelques mots à l'oreille de Dory. Celle-ci opina et annonça :

– La personne que j'attendais est là. Il faut que tu t'en ailles, je ne peux avoir qu'une visite à la fois.

– Ah… d'accord.

– Marisol ! appela Dory qui, impatiente, regardait par-dessus l'épaule d'Alex. Par ici !

Alex vit une solide jeune femme à la peau foncée, en jupe et tunique bariolée. Elle avait des lunettes, des chaussures pour pieds sensibles, un gros cartable. Dory se mit debout, fine et gracieuse malgré sa combinaison de détenue. Elle embrassa sa visiteuse qui lui tapota le dos.

Dory désigna Alex, sans quitter Marisol des yeux.

– C'est ma sœur. Incroyable, non ?

– Et comment !

Marisol avait à peu près le même âge qu'Alex, le regard noir et perçant, des dents blanches, des fossettes. Elle tendit la main.

– Enchantée de vous connaître, dit-elle aimablement. Je suis Marisol Torres.

– Alex Woods.

– Marisol essaie de me sortir de ce trou à rats, dit Dory.

– Je m'y emploie, renchérit Marisol.

– Vous êtes avocate ?

– Je suis en dernière année de droit à l'Université de Nouvelle-Angleterre. Et bénévole pour l'association Justice Initiative.

– Une seule visite à la fois ! beugla le gardien. Il faut vous en aller, mademoiselle.

– Tout de suite, dit Alex.

Elle ne savait pas trop quelle attitude adopter. Embrasser Dory ? Lui serrer la main ? Une fois de plus, ce fut Dory qui régla le problème.

– Asseyez-vous, dit-elle à Marisol. Merci d'être venue, Alex. C'était... sympa de te rencontrer.

– Pour moi aussi.

– Tu reviendras ?

– On n'est pas dans un salon de thé, mesdames ! vociféra le surveillant. On se dépêche.

Alex n'avait plus le temps de répondre à sa sœur, ce qui l'arrangeait bien.

6

ALEX SE RUA AU-DEHORS comme une femme qui a purgé sa peine et retrouve la liberté. Il faisait gris, mais l'air glacial de janvier était vivifiant. Il lui sembla qu'elle retenait sa respiration depuis son entrée dans la prison. Comment pouvait-on survivre là-dedans ? Rien dans ce lieu ne donnait ne fût-ce que l'envie de vivre.

Alex repensa à l'activité dominicale dont Dory lui avait parlé. Sa sœur tenait le coup, semaine après semaine, pour pouvoir jouer un moment avec des chiens. Derrière ces murailles, les plaisirs les plus ordinaires devenaient infiniment précieux.

Quand elle eut rejoint sa voiture, elle baissa les vitres malgré le froid. L'idée d'être enfermée, même dans son propre véhicule, lui était soudain insupportable. *Va-t'en vite...* Mais elle ne mit pas le contact. Elle retirait de cette visite plus de questions que de réponses. Une question, surtout : pourquoi Marisol Torres essayait-elle d'obtenir la libération de Dory ? Celle-ci avait plaidé coupable. La messe était dite, non ?

Ça ne te concerne pas. Tu es venue, tu as fait sa connaissance, on ne peut rien te demander de plus.

Pourtant Alex restait immobile au volant. Elle voulait que Marisol Torres lui explique pourquoi elle s'intéressait à Dory. Si sa sœur n'avait rien à faire en prison, Alex devait le savoir. Elle avait le droit de le savoir. Pour la simple raison que cela ne lui était pas totalement indifférent.

Sans doute que tu ne devrais pas t'en mêler, se disait-elle, mais elle ne bougeait toujours pas. Elle attendait. Une demi-heure s'écoula, plusieurs personnes franchirent la porte. Et s'il y avait une autre sortie ? Marisol était étudiante en droit, peut-être trop désargentée pour posséder une voiture. Elle se déplaçait peut-être en bus et ne passait pas par le parking.

Alex s'était presque convaincue qu'elle avait loupé l'étudiante, lorsque Marisol Torres apparut. Elle marchait vite tout en enfilant sa veste. Alex jaillit de son véhicule.

— Mademoiselle Torres ! S'il vous plaît.

Marisol, perdue dans ses pensées, sursauta. Un sourire circonspect joua sur ses lèvres.

— Rebonjour, Alex.

— Pourrais-je vous parler un instant ?

— De Dory, je suppose.

— Oui. Je ne sais pas si elle vous a expliqué comment...

— Elle m'a dit que vous aviez la même mère.

— C'est ça. Nous ne nous étions jamais rencontrées auparavant, mais je me... je m'inquiète un peu pour elle.

— Tant mieux. Elle a grand besoin de soutien.

– Je me demandais… que se passe-t-il exactement ? Pour son affaire. Qu'y a-t-il encore à creuser ? J'ai cru comprendre qu'elle avait avoué le meurtre de sa sœur.

– Elle a effectivement avoué. Mais l'an dernier, son avocat, désigné par le bureau d'aide juridictionnelle, a été mis en examen pour manquement à la déontologie. Et depuis, il a été radié du barreau.

– Pour quelle raison ?

– Il ne défendait pas efficacement ses clients. Or, comme vous ne l'ignorez pas, le sixième amendement garantit ce droit.

Alex confondait quelque peu les amendements, mais elle opina.

– Les dossiers de tous ses clients devaient par conséquent être réexaminés. Un gigantesque travail, vous l'imaginez. Justice Initiative a proposé son aide. On m'a confié plusieurs dossiers, dont celui de Dory. Je me suis rapidement rendu compte qu'elle avait été desservie par cet avocat. Je prépare un rapport là-dessus depuis six mois.

– Mais… Dory a bénéficié de l'aide juridictionnelle ? Ce n'est pas réservé à ceux qui n'ont pas les moyens de payer des honoraires ?

– En effet. Cela concerne essentiellement les indigents.

– Si je ne m'abuse, la famille de Dory n'entre pas dans cette catégorie ?

– Dory est majeure. Concrètement, personne n'a l'obligation de payer son défenseur.

– Ah… oui, bien sûr.

– Bref, un avocat commis d'office a pour mission de négocier des accords avec le procureur, pour liquider les affaires courantes et résorber l'engorgement de la justice. Ce qui est parfait, sauf si l'avocat présente de manière tronquée à son client les avantages et les conditions du plaider coupable.

– C'est ce qui est arrivé à Dory, selon vous ?

Marisol grimaça un sourire d'excuse.

– Sans l'autorisation de Dory, je ne peux pas vous parler de son cas.

– Oui… bien sûr.

– À présent, il faut que j'y aille. Ma mère s'occupe de ma fille, et je veux passer un peu de temps avec elle.

– Je comprends. Mais il me semble que je dois savoir…

Marisol déverrouilla la portière d'une Ford Taurus marron toute cabossée. Elle balança son cartable sur le siège passager.

– Je vous expliquerai volontiers, à condition que Dory m'y autorise. Posez-lui la question. Si elle est d'accord, elle n'aura qu'à m'en informer.

– Je ne suis pas certaine de sa réaction, admit Alex. Déjà qu'elle se demande pourquoi j'ai souhaité la connaître…

– Ça, c'est Dory tout craché, gloussa Marisol. Écoutez, je suis en contact avec elle tous les jours ou presque. Je lui poserai la question pour vous. Où puis-je vous joindre ?

– Vous feriez ça ? Ce serait formidable.

Alex pêcha dans son sac une carte de visite et prit celle que Marisol lui tendait.

– Vous habitez à Chichester ? s'étonna cette dernière. Moi, j'ai grandi à Waltham. J'y vais de ce pas, d'ailleurs. Ma mère vit toujours là-bas. Bon… je parlerai à Dory et je vous appellerai.

– Merci. Et merci de l'aider.

– Je fais de mon mieux.

La nuit était tombée quand Alex rentra chez elle, soulagée que cette journée s'achève. Rendre visite à Dory l'avait stressée. Une part d'elle, enfantine, pleine d'espoir et qui croyait encore aux anges gardiens, au coup de foudre et autres miracles, avait imaginé qu'un lien se nouerait spontanément entre sa sœur et elle. Cela ne s'était pas produit. La réalité était nettement moins exaltante.

Alex passa dans la cuisine et inspecta les placards. Elle y trouva des pâtes et, dans le réfrigérateur, des légumes encore consommables qu'elle entreprit de tailler en julienne pendant que l'eau chauffait.

Soudain, on frappa à la porte d'entrée. Le cœur d'Alex battit plus vite. Seth Paige ?

On se calme… Peut-être venait-il examiner les livres de la bibliothèque, comme promis. La bouteille de vin qu'il lui avait apportée à Noël était toujours sur le comptoir. Et elle savait où sa mère rangeait le tire-bouchon. Ils pourraient boire un verre.

– Un instant, j'arrive ! cria-t-elle.

Elle ôta la casserole d'eau et la sauteuse du feu. Puis elle se repeigna du bout des doigts et alla ouvrir la porte.

Un homme et une femme étaient là, devant elle. Un pick-up noir, dont la portière s'ornait du logo « Détails » stationnait le long du trottoir. La femme avait une petite cinquantaine d'années, de courts cheveux blonds savamment coiffés, un visage fin à la mâchoire volontaire. Ses sourcils bien dessinés s'arquaient au-dessus de ses yeux bleu clair légèrement fardés. Malgré quelques rides, elle était encore séduisante. Elle était emmitouflée dans un sweat molletonné, coupé comme un blouson. L'homme qui l'accompagnait avait le crâne dégarni, la figure tannée. Ses paupières fripées donnaient à ses yeux gris une expression triste. Il portait de solides vêtements de travail et des chaussures de chantier.

– Que puis-je pour vous ? demanda Alex, déçue.

– Vous êtes Alex Woods ? dit-il – il avait l'accent traînant de l'Ouest.

– Oui.

– Il paraît que vous nous cherchez.

– Vous devez faire erreur…

– Non, je ne crois pas. Nous sommes les parents de Dory.

7

ALEX LES REGARDA EN SILENCE, un long moment. Celle que sa sœur appelait « maman », l'homme qui était son père. C'était terriblement perturbant.

– Je… je ne m'attendais pas à…

– Je suis Garth Colson. Et voici ma femme Elaine. Pouvons-nous entrer ?

Alex ne bougea pas.

– Excusez-moi, mais… je suis un peu surprise de vous voir là.

Ils échangèrent un regard.

– Pourtant, d'après notre voisin, vous nous cherchiez, objecta Garth.

Au souvenir des demi-vérités qu'elle avait servies à Chris Ennis, Alex rougit.

– En effet. Mais comment avez-vous… je veux dire, comment vous avez eu mon adresse ?

– Dory m'a laissé un message sur ma boîte vocale. Elle a dit que vous habitiez à Chichester, que vous étiez sa demi-sœur, et que vous comptiez lui rendre visite. Ensuite, vous retrouver n'a pas été compliqué, répondit Elaine Colson, prosaïque.

– Oh… bien sûr. J'aurais sans doute dû…

– Il fait un froid de canard, l'interrompit son interlocutrice qui frissonnait. On peut entrer ?

– Euh... oui, je vous en prie.

– Merci, dit Elaine.

Côte à côte, visiblement gênés, ils pénétrèrent dans le vestibule.

– Jolie maison, commenta Garth Colson en examinant la rampe d'escalier ouvragée. Elle date de quelle époque ?

– Je ne sais pas exactement. Du dix-neuvième siècle.

– Mon mari s'y connaît en vieilles maisons.

Ils suivirent Alex au salon. Garth tomba en arrêt devant les photos encadrées des parents d'Alex, sur la cheminée.

– Regarde ça, chérie, dit-il.

Elaine étudia les photos et déclara :

– Ce doit être votre mère.

– Oui, et mon père.

– Dory et votre mère se ressemblent comme deux gouttes d'eau.

– C'est aussi ce que j'ai pensé quand j'ai fait sa connaissance. J'en ai d'ailleurs été troublée.

Elaine se détourna et s'installa dans un fauteuil. Garth, mal à l'aise, se posa au bord de l'ottomane.

– Voulez-vous boire quelque chose ?

Elaine secoua la tête.

– Non merci, dit Garth.

Alex s'assit en face d'eux.

– J'espère qu'on ne vous dérange pas, dit Elaine.

– Non, j'étais juste en train de me préparer un petit dîner. Toute cette anxiété... ça creuse.

78

– De l'anxiété… mais pourquoi ? questionna Elaine.

– Rencontrer Dory m'a… remuée.

– J'imagine.

Garth opina en ayant soin de ne pas croiser le regard d'Alex.

– Je vous dois une explication, reprit celle-ci. L'autre jour, je suis effectivement venue chez vous. J'ai parlé à votre voisin du dessus.

– Il nous l'a dit, rétorqua Elaine d'un ton sévère. Vous avez raconté à Chris que vous étiez une parente. Pourquoi avez-vous menti ?

– Je ne sais pas… J'hésitais. Mon notaire avait localisé Dory, à ma demande, mais je n'étais pas certaine d'avoir envie de la contacter. Vous comprenez, mes parents sont morts récemment. Ma mère m'a laissé une lettre. C'est ainsi que j'ai appris qu'elle avait eu une petite fille et l'avait confiée à l'adoption. J'ai décidé de la rechercher. Je ne sais pas si Dory vous a parlé de…

– Je ne lui ai pas parlé, coupa Elaine. Je ne lui parle pas.

– Mais vous disiez qu'elle vous avait…, bredouilla Alex, décontenancée.

– J'ai dit qu'elle avait laissé un message sur ma messagerie. Quand elle téléphone, je ne décroche jamais.

Alex regarda Garth Colson. Il soupira en secouant la tête. Elle dévisagea la femme séduisante et calme qui lui faisait face. Elaine était très soignée de sa personne, elle se tenait bien droite. Alex se remémora sa mère, sa chevelure blond vénitien toujours en désordre, sa silhouette un peu enrobée. Ses yeux gris si doux. Alex n'imaginait pas sa mère refusant de lui adresser la parole, quelles que soient les circonstances. Non, c'était inconcevable.

– Jamais ? répéta-t-elle.

– C'est mieux ainsi, dit Garth.

Le regard d'Elaine était indéchiffrable.

– Dory m'a appelée dès qu'elle a reçu votre lettre, où vous lui disiez qu'elle était probablement l'enfant que votre mère avait abandonnée.

– Je me doute que ça a dû être un choc, murmura Alex, penaude.

– J'ai été surprise, admit Elaine.

– Et pas fâchée, tant mieux, dit Alex avec circonspection, car Elaine ne semblait pas non plus enchantée, loin de là.

– J'ai été surprise, je le répète, mais je me suis efforcée de penser à autre chose. Dory désirait que je lui donne de plus amples informations. Il n'en était pas question, naturellement. Et puis aujourd'hui, elle m'a appelée tout de suite après votre départ. J'ai écouté plusieurs fois son message. Elle semblait satisfaite. Ravie, même. Comme si cela lui conférait une espèce de légitimité. Une sœur inconnue qui se décarcassait pour la retrouver. Qui venait lui rendre visite. Il fallait qu'elle me le dise tout de suite, acheva Elaine d'un ton aigre.

– Je suis heureuse que ma visite lui ait fait plaisir. Rencontrer une sœur dont on ignorait l'existence, ça n'arrive pas tous les jours.

– Nous pensions que, peut-être, vous renonceriez à faire la connaissance de Dory, intervint Garth. Sachant qu'elle était en prison et pour quelle raison elle y était.

– J'ai failli y renoncer, pour être franche. Voilà pourquoi je suis passée chez vous. J'espérais en discuter avec vous. Pour avoir votre point de vue.

– Dans ce cas, pourquoi avez-vous pris la fuite ? demanda Garth.

– Je ne me suis pas enfuie. Mais c'était si… embarrassant. J'ai préféré aller de l'avant et contacter Dory. Personne n'aurait pu m'en dissuader, je crois. Malgré ce que Dory a fait, je souhaitais la rencontrer.

– Vous auriez dû nous en parler d'abord, déclara sèchement Elaine.

À l'évidence, il fallait manœuvrer avec précaution.

– Vous me désapprouvez ?

Elaine prit une profonde inspiration pour retrouver son calme.

– Mademoiselle Woods…

– Alex.

– Alex… vous avez une idée de ce que Dory nous a infligé ?

– Eh bien… je sais ce qui est arrivé à… votre autre fille.

– Lauren, elle s'appelait Lauren. Elle était magnifique. C'était un trésor, dit Elaine d'une voix vibrante. Elle allait devenir une star.

– Je n'en doute pas. Mais c'est avec Dory que j'ai un lien de parenté.

– Vous voyez en elle cette… grande sœur dont vous ignoriez tout. Enfermée dans une prison comme une princesse de conte de fées. Cela doit vous paraître très romantique…

– Je n'emploierais pas ce terme.

– Elle ne voulait pas dire idyllique, intervint Garth, secourable.

– Elle sait très bien ce que je veux dire, le rabroua Elaine qui regarda Alex droit dans les yeux. Je comprends votre curiosité. Croyez-moi, je comprends. Mais il est de mon devoir de vous mettre en garde : nouer une relation avec elle serait une épouvantable erreur. Dory est dangereuse…

– Elle a été condamnée pour meurtre, j'en suis consciente.

– À vous entendre, c'est… anodin. Pourtant, la vérité est tout autre. Dory a tué sa sœur. Sa propre sœur. Avec une brutalité, une cruauté inouïes.

– Tout le monde n'en est pas convaincu, se rebiffa Alex.

Un éclair fulgura dans le regard d'Elaine. Elle laissa échapper un rire qui était presque un cri de douleur.

– Vous faites allusion, je suppose, à cette étudiante en droit qui s'est mis en tête de la défendre. Nous sommes au courant.

– L'association Justice Initiative a sorti du gouffre de nombreux innocents.

– Des innocents, cracha Elaine. Oh, mon Dieu.

– Alex, dit Garth. Excusez-moi, mais vous parlez à tort et à travers. Cette demande de révision du jugement ne repose que sur des questions de violation du code de procédure pénale. Il n'en reste pas moins que Dory a plaidé coupable. Ça, rien ne le changera.

– Mais entre-temps, son avocat a été radié du barreau, s'obstina Alex. Il l'a persuadée de plaider coupable sans même tenter de l'aider.

– L'aider ? s'exclama Garth. Figurez-vous que, si elle était innocente, nous nous serions démenés pour la défendre. Vous ne connaissez pas l'histoire en détail. Elle a tué Lauren. Toutes les manœuvres juridiques du monde ne changeront rien à ça.

– C'est trop tard, Garth, l'interrompit Elaine. Elle croit déjà à ses mensonges… je le lis dans ses yeux. Elle pense que nous sommes des gens abominables, et que Dory est la malheureuse victime d'une injustice.

Garth se pencha en avant, posant un regard grave sur Alex.

– Nous voulons simplement que vous compreniez bien de quoi il retourne avant de vous impliquer là-dedans. La situation est complexe. Suivez notre conseil : laissez tomber, tant que c'est encore possible.

– Écoutez, je ne peux pas me mettre à votre place. Avoir perdu votre fille de cette façon… je ne sais pas comment vous réussissez à le supporter. Mais vous êtes aussi les parents de Dory. Cela ne signifie-t-il rien pour vous ?

– Elle a assassiné notre fille, répondit Elaine, glaciale.

– Votre fille biologique, votre vraie fille. C'est bien ce que vous voulez dire ?

– Non, attendez, protesta Garth. Elles étaient toutes les deux nos filles.

– Vous avez des enfants ? interrogea Elaine d'un ton amer.

Alex fit non de la tête.

– Je m'en doutais. Vous ne pouvez donc pas comprendre.

– Il y a une chose que je ne comprends effectivement pas, répliqua Alex qui se leva. Pour quelle raison êtes-vous venus ici ?

Elaine se redressa à son tour, imitée par Garth. Il referma sur le bras de sa femme une main protectrice. Elaine regarda de nouveau les photos sur la cheminée.

– Je suis venue m'acquitter d'une dette. Il me semblait que je le devais à votre mère.

– Ma mère ? Vous la connaissiez ?

– Absolument pas. Nous ne nous sommes jamais rencontrées. Mais il y a longtemps de cela, votre mère m'a offert un cadeau infiniment précieux. Je voulais un bébé, par-dessus tout, et je ne parvenais pas à en avoir un. Lorsque votre mère a abandonné le sien, elle a réalisé mon rêve le plus cher.

– Dory…, murmura Alex.

Elaine tourna le dos à la cheminée, boutonna son blouson.

– Comme dit le proverbe : «Fais attention à ce que tu souhaites, car cela risque de t'arriver.»

8

L E LENDEMAIN MATIN, après une nuit sans sommeil, Alex avait le cœur bien lourd. La visite des Colson l'avait perturbée. S'ils ne croyaient pas en Dory, pourquoi Alex s'acharnerait-elle à voir sa demi-sœur sous un jour flatteur ? Ces gens n'étaient a priori ni pervers ni déséquilibrés. Peut-être avaient-ils raison. En prison, de nombreux détenus clament leur innocence, même ceux qui ont perpétré les crimes les plus odieux.

Elle avait sélectionné quelques-uns des articles les mieux documentés sur l'affaire. Elle les relut, cette fois avec un sentiment de désespoir. Le mobile du crime était la jalousie, l'objet de cette jalousie le dénommé Rick Howland, un podologue. Mais les Colson semblaient considérer que c'était un simple prétexte. Tôt ou tard, selon eux, Dory aurait tué Lauren.

Alex éplucha la liste des podologues de Boston. Rick Howland y figurait, il avait un cabinet sur Huntington Avenue. Elle n'hésita pas longtemps. Elle composa son numéro et demanda à la secrétaire un rendez-vous, dès que possible.

– C'est une urgence ?

Il y avait donc des urgences, en podologie ? s'étonna Alex.

– Je souffre beaucoup, répondit-elle – de fait, ce n'était pas faux.

Son interlocutrice lui proposa de venir à midi. Alex la remercia et raccrocha. À cet instant, la sonnette retentit. Sa tasse de café à la main, Alex alla ouvrir.

Cette fois, c'était bien Seth Paige qui se tenait sur le seuil. Mais le cœur d'Alex ne s'emballa pas. À la lumière du jour, il paraissait différent – tellement normal… Elle avait l'impression d'être une extra-terrestre face à un humain.

– Salut, dit-elle d'une voix morne.

– Je viens voir les livres de ton père. J'espère que je ne tombe pas trop mal ?

– Pas plus mal qu'à un autre moment.

Elle le conduisit dans le bureau.

– Voilà, ils sont là.

– Mazette ! Quelle fantastique collection. J'aurais envie de tout rafler.

– Eh bien, ne te gêne pas.

Seth la dévisagea.

– Qu'est-ce qui ne va pas ?

– Oh, c'est une longue histoire.

Il s'appuya contre le bureau.

– Raconte, j'ai tout mon temps. J'ai tellement joué au cribbage avec mon père que j'en ai une indigestion. Je voulais voir les livres, c'est vrai, mais j'avais surtout besoin de prendre un bol d'air.

– Je ne peux pas te raconter, dit-elle avec un pauvre sourire. C'est trop embrouillé.

– Je t'aide à résumer? Ta sœur est en prison, tu lui as rendu visite.

– Comment tu le sais? rétorqua-t-elle, stupéfaite.

– Depuis combien de temps tu vis dans ce quartier? Ton oncle Brian l'a dit à Laney Thompson. Il te surveille par l'intermédiaire des Thompson, je te le signale.

– Ça, c'est incroyable!

– On se soucie de toi et tu te plains? Bon, maintenant, explique.

– Eh bien, je lui ai donc rendu visite...

– C'était comment?

– Difficile... Perturbant.

– Sans blague, ironisa-t-il.

– Et puis hier soir, ses parents ont débarqué ici. En gros, ils m'ont dit que Dory était le mal incarné et que j'avais intérêt à garder mes distances.

– Mais tu n'as pas eu ce sentiment lorsque tu l'as rencontrée.

– Je ne sais pas ce que je ressens. Ils la connaissent par cœur, moi je n'ai passé qu'une demi-heure avec elle. Peut-être qu'ils ont raison!

Elle poussa un soupir.

– Je ne sais pas, murmura-t-elle.

– Dans ce cas, prends du recul.

– Tu ne me dis pas de m'éloigner d'elle au triple galop?

– Pourquoi le ferais-je? Tu es intelligente, forge-toi ta propre opinion. Dis, tu as des projets pour ces cartons?

Elle secoua la tête.

– Alex, je ne suis pas si désinvolte. Simplement, je

pense que tu dois te fier à toi-même. Qu'est-ce que tu comptes faire ? Tu as un plan ?

– J'ai localisé son ancien petit ami. J'aimerais discuter un peu avec lui. Son analyse des événements pourrait être intéressante.

– Bonne idée. À ta place, j'irais voir ce type.

Seth s'approcha de la bibliothèque et, avec égard, y prit un volume.

– Ah oui ?

Il tourna quelques pages, regarda Alex.

– Si je désirais en apprendre davantage, oui. Or, manifestement, ce que tu sais déjà ne te suffit pas.

– Exact.

– Dans ce cas, n'hésite pas : va le voir.

– Tu as raison. Mais tu peux rester et continuer à explorer la bibliothèque.

– Je reviendrai une autre fois.

Elle le raccompagna dans le vestibule.

– Quand tu veux, dit-elle.

Il y avait dans sa voix un empressement qui la fit rougir. Mais Seth ne parut pas le remarquer.

– On a le temps.

Trop impatiente pour attendre le train, Alex prit sa voiture. Elle se gara dans un parking proche de Copley Square et marcha jusqu'au cabinet du podologue, situé dans une tour relativement récente de Huntington Avenue.

– Pouvez-vous remplir ces formulaires, je vous prie ? lui dit la secrétaire en lui tendant un dossier. Vous avez une assurance maladie ?

Alex lui donna sa carte.

– La consultation vous coûtera trente dollars.

Une paille, pour causer à celui pour qui Dory avait tué sa sœur. Alex paya en liquide puis s'assit. Elle feuilleta un magazine en s'efforçant de ne pas reluquer la chaussette de son voisin – que découvraient les quartiers découpés dans son soulier.

Enfin, une patiente sortit en claudiquant de la salle d'auscultation et réclama des explications sur le montant des honoraires.

– Mademoiselle Woods, c'est à vous, dit la secrétaire.

Alex entra dans la pièce et se posa sur une chaise métallique. Les murs étaient décorés de planches anatomiques du pied et de photos d'un grand chien hirsute et moustachu, aux mélancoliques yeux bruns sous des sourcils broussailleux. Un instant après apparut le podologue en blouse blanche. Il serrait sur sa poitrine le dossier rempli par Alex. Il était plutôt petit, avec des cheveux châtain foncé, clairsemés. Son visage était agréable quoique banal.

– Merci de me recevoir, monsieur Howland.

– Mademoiselle Woods. Quel est votre problème ? Vous ne l'avez pas noté.

– C'est que…, bafouilla-t-elle. J'ai appris récemment que Dory Colson est ma demi-sœur.

Il sursauta.

– L'autre jour, j'ai rencontré Dory pour la première fois. Tout cela est très perturbant, vous pouvez l'imaginer. Découvrir que la sœur dont vous ignoriez l'existence est en prison pour meurtre…

– Donc vous n'êtes pas ici pour une consultation.

– Non, admit-elle. Je désirais juste vous parler. Je craignais de me faire envoyer sur les roses si je téléphonais pour vous demander des renseignements sur Dory.

– Vous auriez pu vous y prendre autrement. Il n'était pas nécessaire de me faire perdre un temps précieux.

– J'ai payé la consultation, objecta Alex, narquoise.

Il n'eut pas l'air d'apprécier la plaisanterie.

– Qu'attendez-vous de moi ? demanda-t-il d'un ton froid.

– Que vous éclairiez un peu ma lanterne. Si vous le voulez bien.

Il n'acquiesça pas, mais ne lui ordonna pas non plus de sortir. Alex poursuivit :

– Vous fréquentiez Dory à l'époque du meurtre de Lauren, n'est-ce pas ?

– Oui, répondit-il, et il s'appuya contre la table d'examen. C'est exact.

– Comment vous êtes-vous connus, tous les deux ?

– J'étais l'un de ses clients. Elle s'occupait de Iago pendant la journée.

Il montra les photos sur les murs. Son regard s'adoucit.

– Mon chien est très nerveux. Il a besoin de se dépenser. J'ai répondu à l'annonce de Dory, qu'elle avait publiée dans un journal gratuit. Elle avait d'excellentes références. Il se trouve qu'elle était… parfaite avec les chiens. Et puis, elle était ravissante. Nous avons fait plus ample connaissance, et de fil en aiguille…

– Vous aviez donc une liaison ?

– Pourquoi pas ? rétorqua-t-il, sur la défensive.

Nous étions tous les deux célibataires. Et nous aimions tous les deux les animaux.

– Je ne vous critique pas, dit Alex d'un ton las. J'essaie simplement de comprendre. Pour ses parents, elle est coupable, ils n'ont pas le moindre doute là-dessus. Ils sont convaincus qu'elle a tué sa sœur à cause de vous.

– N'importe quoi ! C'est totalement faux. Je n'ai échangé que quelques mots avec Lauren, deux ou trois fois. Parce qu'elle était là, et que moi je venais chercher Dory. Lauren a été opérée du pied au Boston General. Je connaissais son chirurgien. Bref, elle m'a posé des questions. J'ai répondu. Point à la ligne. J'ai été poli. Je ne lui ai même pas fait mon numéro de charme.

– Mais Dory a cru que vous étiez amoureux.

– Je n'ai pas réussi à lui ôter cette idée de la tête. Dory et sa sœur... elles étaient comme chien et chat. En fait, dès que Lauren est revenue chez ses parents pour son opération, ma relation avec Dory s'est détériorée.

– Pourquoi ?

Rick Howland haussa les épaules.

– Dory n'avait que ce nom à la bouche. Lauren par-ci, Lauren par-là. C'était une obsession. Je l'ai dit aux policiers. Dory ne pensait plus qu'à sa sœur. Au début on passait de bons moments ensemble, à la fin je devais supporter ses radotages : pourquoi et comment elle détestait Lauren, pourquoi elle n'avait aucune confiance en elle. Affreux.

– Vous êtes certain de n'avoir aucune responsabilité là-dedans ?

Il la regarda droit dans les yeux.

91

– Il n'y avait rien entre Lauren et moi. Dory fantasmait complètement.

– Vous lui rendez visite, parfois ?

– Ah non, jamais. Elle est cinglée. Je ne veux pas la revoir.

– Alors, pour vous aussi, elle est coupable. Elle a tué Lauren.

– Elle a avoué.

– Et cet aveu vous a surpris ?

– En fait... oui. Elle n'était pas spécialement tendre, mais elle aimait tant les animaux. Je ne l'imaginais pas faisant du mal à une bête. J'ai supposé qu'elle ne s'en prendrait pas non plus à un être humain. Mais, quand il s'agissait de sa sœur, elle ne se contrôlait plus.

– Et donc vous ne voulez plus la voir ?

– En prison ? Je ne suis pas masochiste.

– Mais si vous teniez à elle...

– Pas à ce point. Une de perdue, dix de retrouvées, dit-il rudement.

– L'association Justice Initiative essaie d'obtenir la révision du jugement.

– Je leur souhaite bonne chance.

– Autrement dit, même si elle était blanchie, vous ne chercheriez pas à renouer avec elle.

Il écarquilla les yeux.

– Surtout pas. D'ailleurs, je fréquente quelqu'un d'autre. Je ne veux plus entendre parler de Dory Colson. Et si vous étiez sensée, vous la fuiriez aussi comme la peste. Maintenant, je vous prie de m'excuser, mais j'ai de vrais patients qui attendent.

Alex le remercia et s'en alla. Elle se sentait vidée. Qu'avait-elle espéré apprendre de Rick Howland ?

92

Leur entrevue n'avait servi qu'à accroître son malaise. Car si le podologue n'était pas l'ennemi de Dory, il n'était certainement pas non plus son champion.

Soudain, son mobile vibra au fond sa poche. Un texto de Marisol Torres. *Dory m'a autorisée à vous parler. Quand nous voyons-nous ?*

Alex n'hésita qu'une seconde. *Je suis en ville. Je vous rejoins.*

Justice Initiative avait ses bureaux dans un bâtiment en grès rouge qui abritait également un département de la fac de droit. La réceptionniste, au rez-de-chaussée, dit à Alex de monter au troisième. Chaque étage bruissait comme une ruche.

La porte du bureau exigu était ouverte, mais Alex frappa quand même au chambranle. Marisol se leva, souriante, et s'empressa de déplacer dossiers et classeurs.

– Désolée pour le désordre. Du temps où ce bâtiment était un hôtel particulier, je crois bien que cette pièce servait de placard. Pas de fenêtre, et tout juste la place de mettre une table de travail.

– C'est cosy, dit Alex qui s'assit sur une chaise pivotante aux roulettes bloquées par des boîtes à archives.

Elle remarqua, sur la table, la photo d'une fillette au regard pétillant, avec des rubans dans les cheveux.

– Votre fille ?

Marisol couva le portrait d'un regard attendri.

– Ma petite Iris... Ma raison de vivre.

– Elle est adorable.

– Merci. Bon... j'ai donc parlé à Dory, je lui ai expliqué que vous vous intéressiez à son affaire. Elle m'a autorisée à vous dire tout ce que vous aviez envie de savoir.

– J'ai une foule de questions à vous poser.

– Je vais essayer d'y répondre.

– Ma première question est d'ordre juridique. Quelles sont les chances de gagner en appel quand l'accusé a avoué être l'auteur du crime ?

– Nous comptons arguer que Dory a été privée de son droit à un procès équitable, parce que son avocat lui a conseillé de plaider coupable. Il lui a dit que jamais elle ne convaincrait des jurés.

– Il avait tort ?

– Qui peut le dire ? Dory a déclaré aux policiers que, le jour du drame, Lauren et elle s'étaient querellées – l'accusation avait un témoin qui l'a confirmé, le livreur du pressing qui est passé à l'appartement des Colson. Ensuite, Dory affirme être sortie se balader. À son retour, elle a découvert le cadavre de sa sœur.

– Que s'est-il passé au juste... ? Je parle du... du meurtre.

– Le corps de Lauren était dans la cuisine, au fond de l'appartement. À l'arrivée de la police, la porte-fenêtre donnant sur le jardin n'était pas fermée à clé. Lauren était étendue sur le sol, elle avait reçu plusieurs coups de couteau. Un couteau de cuisine, en l'occurrence. Dory était couverte de sang. Cela peut s'expliquer : elle avait tenté de ranimer Lauren.

– J'ai lu dans les journaux que Dory et Lauren s'étaient disputées à cause d'un homme, Rick Howland.

94

Alex ne précisa pas qu'elle sortait tout juste du cabinet de Howland.

– Oui, le podologue, le papa du spinone.

– Pardon ?

– Il a un chien de cette race. Dory et lui se fréquentaient depuis peu. Elle le considérait apparemment comme un bon parti, mais elle s'était persuadée que sa sœur essayait de le lui chiper. Elle était très jalouse de Lauren, en permanence. C'est un fait indéniable. Néanmoins, il n'y a pas la moindre preuve d'un lien quelconque entre Howland et Lauren. Pas de courriels ni de coups de fil. Rien. Lauren vivait à Branson, dans le Missouri, et ne venait que rarement à Boston.

– Dans ce cas, il est possible que Dory soit...

– Paranoïaque. Oui, je le crains.

– Tout le monde est donc d'accord : elle avait un mobile et l'opportunité de tuer. Pourquoi pensez-vous qu'elle aurait pu être acquittée ?

– Ah ! s'exclama Marisol en levant l'index. C'est là qu'intervient la négligence de son avocat. Dory a déclaré être allée se promener après la dispute. Elle avait besoin de se changer les idées. L'avocat lui a dit qu'il n'y avait pas un seul témoin pour corroborer son histoire. Il a prétendu avoir quadrillé le quartier. Personne, d'après lui, ne se rappelait avoir aperçu Dory. L'alibi de Dory ne tenait pas, donc elle devait plaider coupable.

– Et alors ?

– Il se trouve que..., dit Marisol qui marqua une pause pour ménager son effet... les voisins n'ont jamais été interrogés. Ils sont catégoriques : personne ne leur a demandé s'ils se souvenaient d'avoir vu Dory. Elle affirme être allée jusqu'à Copley

Square où elle a acheté une bouteille d'eau à la gare de Back Bay. On n'a pas interrogé non plus l'employée de service ce jour-là, on ne lui a pas montré la moindre photo de Dory. Bref, l'avocat n'a pas pris la peine d'enquêter à décharge.

– Il y avait une caméra de surveillance dans la boutique ?

– Oui. L'avocat ne s'en est évidemment pas soucié.

– Dory a été filmée ?

– Eh bien, j'ai visionné la vidéo. La caméra ne vaut pas grand-chose, les images ne sont pas nettes. Et malheureusement, le patron utilisait ce matériel pour espionner ses employés. Résultat, on ne voit que le visage de la caissière. Les clients sont filmés de dos. Or, comme il faisait froid, tout le monde portait écharpe, bonnet ou capuche.

– Et le ticket de caisse ?

– Dory ne l'a plus. L'avocat jouait sur du velours. Il lui a seriné qu'elle n'avait aucune chance d'être acquittée. Il ne lui restait qu'une solution : plaider coupable, sinon c'était la condamnation à perpète.

– Elle a donc accepté le marché.

– Oui, et elle a eu tort. Je démontre dans mon compte rendu que son défenseur a bâclé le boulot, ce qui en soi devrait inciter le juge à lui accorder un nouveau procès. D'autant qu'à présent, l'autre avocat est radié du barreau.

– Vous semblez plutôt optimiste.

– Je le suis. Le dossier est actuellement entre les mains d'un des avocats qui nous épaulent. Harold Gathman. Il a déjà réclamé que soit fixée une date pour le réexamen de la décision de justice.

– Parfait. Mais si elle est rejugée, on n'a toujours aucun moyen de confirmer son alibi. Surtout après tout ce temps.

– On avisera quand on en sera là.

Alex hocha la tête.

– Si je comprends bien, dit Marisol qui se carra dans son fauteuil, nous pouvons compter sur votre soutien.

– Oui, répondit mollement Alex.

– Dory m'a dit que vous accepteriez de nous aider financièrement.

– Financièrement ? répéta Alex, sûre de n'avoir pas abordé ce sujet avec sa sœur.

– La fac de droit a grand besoin d'argent. Tout coûte cher.

– Je… d'accord. Je vous ferai un chèque.

– À l'ordre de Justice Initiative.

Alex se leva, déconcertée – Dory l'avait mise à contribution sans même lui en parler. Certes, c'était pour la bonne cause. L'association Justice Initiative méritait qu'on lui vienne en aide.

– Entendu. Vous accomplissez un travail important.

– Je me plais à le croire, dit Marisol.

9

ALEX RENTRA LA VOITURE dans le garage dont elle referma le portail. Zut, elle n'avait rien pour dîner. Reprendre le volant pour aller au supermarché la déprimait d'avance. Elle se contenterait d'acheter un bon gros sandwich ou un casse-croûte tout aussi peu recommandable à l'épicerie du coin. Elle avait besoin de se dégourdir les jambes, de respirer un peu d'air frais et de réfléchir à ce que lui avaient appris Rick Howland et Marisol Torres.

Au total, ce n'était guère encourageant. D'après le podologue, la jalousie de Dory à l'égard de Lauren était obsessionnelle. Or qui disait obsession disait fragilité psychologique.

De plus, sa discussion avec Marisol l'avait frustrée. Au fond, elle s'attendait à apprendre l'existence d'une preuve irréfutable de l'innocence de Dory, expliquant pourquoi Justice Initiative avait résolu de la défendre. Mais en réalité, comme les Colson l'avaient souligné, il ne s'agissait que de finasseries juridiques. Marisol se focalisait sur les manquements de l'avocat et aurait probablement gain de cause. Toutefois, en cas de nouveau procès, que se passerait-il ? Les arguments de Marisol, certes légitimes, n'apporteraient pas de réponse à la seule vraie question : Dory avait-elle tué sa sœur ?

Personne ne répondra pour toi. Tu crois Dory ou pas.

Alex frissonna. Dory affirmait que, le jour du drame, elle s'était baladée dans Boston, du côté du South End. En été, on l'aurait forcément aperçue dans la rue. Mais quand il faisait froid comme aujourd'hui, les gens se calfeutraient chez eux. Ils ne s'installaient pas sur leur perron pour observer les passants.

Si je devais prouver que j'étais dehors aujourd'hui, à cette heure-ci, comment m'y prendrais-je ? se demanda-t-elle. Il n'y avait pas un chat alentour et, même si quelqu'un la remarquait, elle était emmitouflée dans son manteau, une écharpe enroulée autour du cou, les cheveux dissimulés sous un bonnet. On aurait du mal à la reconnaître. Des voitures passaient, mais la nuit tombait. Qui se souviendrait de l'avoir vue, hâtant le pas, tête baissée pour se protéger du vent ?

Elle fut contente de pénétrer dans le magasin bien éclairé. Elle saisit un panier et s'exhorta à ne pas le remplir à ras bord. Il lui faudrait ensuite trimballer ces courses jusqu'à la maison.

Elle déposa ses emplettes à la caisse.

– Il fait un froid de canard, vous trouvez pas ? lui dit le caissier.

– Oh que si. Ça ne m'étonnerait pas qu'on ait de la neige.

– Ouais, c'est ce qu'ils ont annoncé à la télé. Douze dollars quatre-vingt-dix-neuf, s'il vous plaît.

Alex lui tendit la monnaie.

– Je vous mets le ticket dans le sac en papier ?

– Non, je le prends, répondit-elle en glissant le bout de papier dans la poche de son manteau.

– Restez bien au chaud ! lui lança-t-il, comme elle s'éloignait.

De retour chez elle, Alex alluma toutes les lampes, jeta son manteau sur une chaise et rangea ses provisions dans les placards et le réfrigérateur. Sa mauvaise conscience l'avait poussée à troquer le sandwich contre des œufs et de la salade en sachet. Elle préparerait une omelette avec le restant de fromage.

Elle achevait de vider les sacs quand elle se rendit compte qu'elle n'avait pas la salade.

Flûte, je l'ai pourtant payée. Elle n'avait aucune envie de retourner au magasin, mais tout de même, cette salade lui avait coûté quatre dollars. Elle chercha le ticket de caisse dans les sacs, puis dans son portefeuille, en vain.

Ah oui... elle se rappelait où elle l'avait mis. Elle saisit le manteau, fouilla les poches. Les gants, un paquet de mouchoirs en papier... voilà. Elle éplucha le ticket. La salade n'y figurait pas.

Ça alors, je perds la boule. J'aurais pourtant juré... Elle parcourut de nouveau la liste de ses achats. Jus de fruits, pain, lait, un paquet d'Oreo...

Des Oreo ? Elle n'en avait pas pris. Ce ticket n'était pas celui d'aujourd'hui. Il datait de... elle déchiffra la date et l'heure... il datait de deux semaines.

Une idée lui vint à l'esprit, qui lui fit oublier la salade manquante. Le jour du meurtre de Lauren, Dory avait soi-disant acheté une bouteille d'eau à la gare de Back Bay. On lui avait donné un ticket, la preuve qu'elle était bien là où elle prétendait être. Elle ne l'avait plus. En réalité, elle ne se rappelait sans doute pas ce qu'elle en avait fait. Peut-être l'avait-elle fourré dans sa poche, s'il n'y avait pas de poubelle à proximité. Comme Alex tout à l'heure.

Oui, c'était possible. Pourquoi pas ?

Et si oui, qu'était devenu le vêtement qu'elle portait ce jour-là ?

Alex décrocha le téléphone et composa le numéro de la prison, tout en échafaudant un scénario plausible. Elle invoquerait une urgence familiale. Elle s'attendait à rencontrer de la résistance, mais quand elle demanda à parler à Dory, une femme revêche se borna à aboyer : Une minute ! Par chance, les appels téléphoniques n'étaient pas contingentés.

Elle attendit un long moment, pianotant nerveusement sur la table, avant que la voix de sa sœur ne résonne à son oreille. Elle sursauta.

– C'est moi, Dory. Alex.

– Qu'est-ce que tu veux ?

Dory ne s'encombrait pas de politesses. Normal.

– Je... j'ai eu une idée. J'ai une question à te poser.

– À quel sujet ?

– Les vêtements que tu portais ce jour-là... le jour où Lauren a été tuée. Où sont-ils ?

– Les vêtements que je portais ? répéta Dory, ahurie.

– Oui. Qu'est-ce qu'on en a fait ?

– La police les a pris. Ils étaient couverts de sang.

Alex se tut, troublée par la sinistre image.

– Quand je l'ai trouvée, je l'ai soulevée, se justifia

102

Dory. J'ai essayé de la secourir. Alors, forcément, j'avais du sang sur moi. J'ai dû donner mes habits aux flics. Je ne sais pas s'ils gardent des trucs comme ça…

– Tu leur as tout donné ?

– Y compris les chaussures et les chaussettes.

– Ton manteau aussi ?

– Ben… oui.

Un silence.

– Ah non… Pas mon manteau. Je ne l'avais pas sur moi quand j'ai découvert Lauren.

– Tu en es sûre ?

– Oui… Quand on est partis au commissariat, mon père m'a donné une de ses vieilles parkas que j'ai enfilée par-dessus mes vêtements tachés de sang. Il m'a dit : on la mettra à la machine en rentrant. Il ne se doutait pas que je ne reviendrais pas.

– Et où est ton manteau ? Celui que tu avais quand tu es sortie te balader.

– J'en sais rien, grogna Dory, agacée. Pourquoi ?

– Cela n'a peut-être aucune importance, mais comment était-il, ce manteau ? Décris-le-moi.

– Pourquoi ?

– S'il te plaît, décris-le-moi.

Dory poussa un soupir.

– Un caban Gap noir, taille 38, avec une ceinture. Je l'adore.

– Et c'est ce jour-là que tu l'as porté pour la dernière fois ? Quand tu es sortie te balader ? insista Alex.

– Je crois. Pourquoi toutes ces questions ?

– Écoute, c'est sans doute un coup d'épée dans l'eau. Je ne voudrais pas te donner trop d'espoir.

– De ce côté-là, il n'y a rien à craindre.

Alex entendit un bruit sur la ligne.

– Bon, faut que je te laisse, dit brusquement Dory et elle raccrocha.

Alex réfléchit à la manière de procéder. D'abord, se rendre à la gare de Back Bay et vérifier s'il y avait une poubelle dans la boutique. Des mois et des mois s'étaient écoulés depuis, mais…

On ne s'emballe pas. S'il n'y avait pas de poubelle, elle devrait ensuite aller chez les Colson pour essayer de retrouver le caban.

Mieux vaudrait téléphoner à Marisol qui avait peut-être déjà suivi cette piste.

Mais Alex n'avait pas envie d'appeler l'étudiante en droit qui, à coup sûr, la dissuaderait de mettre son plan à exécution. Son objectif étant presque atteint, elle n'avait pas besoin de complications inutiles.

Alex voulait malgré tout tenter sa chance, voir s'il lui était possible d'apporter sa pierre à l'édifice. Si cela ne marchait pas, ce ne serait pas grave.

Elle ne demanderait pas sa permission à Marisol, car elle refusait de s'entendre dire non. Et si elle faisait chou blanc, elle aviserait.

Elle regarda la pendule. C'était l'heure de pointe, les trains étaient nombreux. Si elle allait en voiture à la gare de Chichester, elle serait à Back Bay en trente minutes.

10

ALEX S'ACHETA UN SACHET de cacahuètes et l'engloutit tout en observant la boutique qu'éclairait une avare lumière fluorescente. Pas de poubelle. Il n'y en avait pas non plus à l'extérieur, près de la porte.

– Excusez-moi…, dit-elle à la jeune caissière aux yeux charbonneux en montrant le sachet vide. Vous avez une poubelle quelque part ?

– Nan… Y en a dans la rue.

– Vous n'avez même pas une corbeille à papier sous le comptoir ?

Son interlocutrice la dévisagea comme si une corne venait de lui pousser sur le front.

– Z'avez qu'à jeter ça dehors.

– Mais vous, comment faites-vous quand vous avez quelque chose à jeter ?

La fille secoua la tête.

– Mon patron, il dit que c'est à la ville de payer pour le ramassage des ordures. Et il dit que, si j'ai quelque chose à jeter, j'ai qu'à le balancer dehors ou le rapporter chez moi.

– Quelle horreur, commenta Alex, mais l'espoir

lui dilatait le cœur lorsqu'elle sortit de la gare et fouilla du regard les environs.

Pas de poubelle de ce côté de la rue. Elle en aperçut une en face. Irait-on jusqu'à traverser la rue pour se débarrasser d'un bout de papier ? Sans doute pas.

Le quartier grouillait de voitures et de piétons qui, dans l'obscurité, se hâtaient de regagner leur domicile.

Et maintenant ? Elaine et Garth Colson habitaient à quelques centaines de mètres. Ils étaient probablement chez eux, en train de dîner. Qu'allait-elle leur raconter ? Elle n'en avait qu'une très vague idée. Elle savait seulement qu'il lui fallait entrer coûte que coûte dans leur appartement.

Elle se faufila dans le flot de passants et mit le cap sur l'ancienne adresse de Dory.

Une odeur de cuisine italienne s'échappait de l'appartement, ainsi que la voix poignante d'une femme qui, sur fond de violon électrique, chantait un amour perdu. Alex appuya sur la sonnette et attendit, se demandant encore ce qu'elle allait dire.

Ce fut Garth Colson qui ouvrit la porte. Il scruta Alex d'un air déconcerté, avant de s'exclamer :

– Oh c'est vous, Alex. Comme nous attendons des invités, vous voir là m'a surpris, je ne vous ai pas reconnue tout de suite.

– Excusez-moi, je vous dérange…

– On reçoit les voisins. Rien d'extraordinaire, ne vous inquiétez pas.

– Pourrais-je vous parler ?

– Venez, venez. Je prépare mes fameux spaghettis aux boulettes qui réclament une surveillance de tous les instants. Elaine n'est pas encore là. Entrez, débarrassez-vous de votre manteau.

Alex pénétra dans l'appartement où Dory avait grandi. Le vestibule était élégant mais chaleureux. Parquet ciré, papier peint fuchsia, un grand miroir à droite de la porte, au-dessus d'une console où trônait une coupe en porcelaine de Chine, flanquée de deux bougeoirs en laiton.

Face à la porte se trouvait un porte-parapluie en faïence ébréché. Des patères s'alignaient sur le mur, d'où pendaient des vêtements, les uns par-dessus les autres, surmontées d'une étagère où vacillaient des piles de couvre-chefs, essentiellement des bonnets en tricot de couleurs vives. Sur le sol étaient soigneusement rangées des paires de bottes.

Alex s'en approcha. Était-il possible que Dory, le jour du crime, y ait accroché son caban ? Peut-être les Colson l'avaient-ils laissé là, pensant que leur fille reviendrait. Ou, plus vraisemblablement, accaparés par les terribles événements de cette journée, ils ne l'avaient même pas remarqué et n'y avaient donc pas touché. Alex, qui vidait la maison de ses parents, savait mieux que quiconque combien les vêtements avaient le don de se faire oublier, parfois durant des années.

Garth, qui s'était précipité dans la cuisine, reparut dans le vestibule, une cuiller en bois à la main.

– Je vous sers une bière, un verre de vin ?

– Oh je… non merci.

Il retourna à ses spaghettis. Alex ôta son manteau et, prestement, tâta les habits suspendus aux patères. Elle devait les passer en revue sans les décrocher.

Soudain, elle repéra un caban sombre dont la ceinture était cousue dans le dos. Son cœur fit un bond.

Le vestibule n'était pas bien éclairé, elle ne voyait pas si le vêtement était noir ou bleu marine. Mais c'était bien quelque chose de ce style qu'elle cherchait. Elle le retourna, vérifia l'étiquette. Gap. Taille… impossible de lire le chiffre presque effacé. Mais c'était une petite taille.

Alex fouilla les poches. Malheureusement, elles étaient bourrées de mouchoirs en papier, de monnaie, de friandises pour chiens, de chouchous. Et de bouts de papier froissés.

À cet instant, Alex entendit une clé tourner dans la serrure. Elle retira vivement la main de la poche du caban, dont elle lissa le rabat. Elle s'écartait des patères quand la porte s'ouvrit sur Elaine, chargée de livres. Elle se figea en découvrant Alex.

– Qu'est-ce que vous faites là ? lança-t-elle d'un ton abrupt.

– J'étais en train de suspendre mon manteau. C'est votre mari qui m'a fait entrer.

– Suivez-moi. Avec votre manteau. Garth !

Alex se rhabilla et descendit quelques marches menant à une vaste pièce pourvue d'une cheminée. Au bout se trouvait une agréable cuisine aux murs de brique. Elaine posa son sac de bouquins par terre, abandonna son manteau écossais sur le dossier d'un fauteuil et s'approcha de son mari campé devant la cuisinière.

Elle plongea un doigt dans la casserole, goûta la sauce.

– Où sont Joy et Therese ?

– Pas encore là.

– Pourquoi l'as-tu invitée ?

– Alex ? Elle est arrivée à l'improviste. Mais j'ai fait à manger pour un régiment. Si elle souhaite rester dîner, elle est la bienvenue.

– Pas question, le rabroua Elaine. Qu'est-ce que vous faites ici, Alex ?

– Eh bien… d'une certaine manière, je suis en mission. J'essaie d'aider Dory.

– Ah oui, je suis au courant. Elle m'a laissé plusieurs messages sur ma boîte vocale. J'en conclus que nous avons usé notre salive pour rien.

Alex rougit mais refusa de faire amende honorable. Elle se représentait Dory parlant dans le vide, à une mère qui jamais ne décrochait le téléphone.

– Vous m'avez mise en garde, je m'en souviens parfaitement, mais je ne peux pas abandonner Dory.

L'exaspération se peignit sur le visage d'Elaine.

– Quel est votre objectif, en fait ?

– Confirmer son alibi.

– Son alibi…

Avec un reniflement de mépris, Elaine ouvrit le réfrigérateur pour y prendre une bouteille d'eau.

– Garth, il te manque quelque chose ?

– Passe-moi l'ail.

Alex remarqua la collection de photos fixées par des magnets sur la porte du réfrigérateur. La plus grande montrait une belle jeune femme en scène, les bras tendus dans un geste implorant, le regard noyé, les lèvres dessinant un O. Sa chevelure blonde, brillante, ruisselait sur ses épaules. Elle portait un jean, des bottes et un corsage translucide sur un caraco. En fait, on voyait la même personne sur tous

109

les clichés. Ici, elle était adolescente, une longue natte lui tombait dans le dos, elle tenait un bouquet. Là, on avait cadré son visage, ses doux yeux pétillant de vie.

Lauren.

Il n'y avait pas une seule photo de Dory.

– C'est Lauren ? interrogea Alex.

Elaine tendit l'ail à son mari, puis pencha la tête de côté, silencieuse, attentive. L'émotion crispa ses traits.

– Oui, c'est notre Lauren. Elle avait une si belle voix.

Alex prit soudain conscience que, depuis son arrivée, on entendait en sourdine la même chanteuse.

– Oh... c'est Lauren qui chante ?

– Ce n'est pas ce que vous me demandiez ?

– Non, je faisais allusion à ces photos. Excusez-moi, en musique country, je suis plutôt ignare. Mais vous avez raison, elle a une belle voix. Très pure.

– Il y a tant de choses que vous ignorez.

Alex, que l'on n'avait pas invitée à s'asseoir, se dandina d'un pied sur l'autre.

– Par exemple ?

– Elaine, articula Garth d'un ton réprobateur.

Celle-ci grimaça, hésita une seconde.

– Ce n'était pas la première fois.

– C'est-à-dire ?

– À quoi bon évoquer ce sujet, grommela Garth.

Mais Elaine fit la sourde oreille.

– Effacement du casier judiciaire, vous savez ce que cela signifie ?

– Eh bien, je suppose que… euh, non, je ne sais pas vraiment.

Ronchonnant à mi-voix, Garth posa sa cuiller en bois sur le plan de travail.

– Arrête, Elaine. Je comprends ce que tu éprouves, mais arrête. Déballer notre linge sale devant une inconnue…

– Elle veut des renseignements sur Dory, et j'estime qu'elle a le droit d'être informée. Avant de s'impliquer davantage. Si tu n'as pas envie d'écouter ma petite histoire, monte voir pourquoi Joy et Therese sont en retard.

Garth secoua la tête et sortit en soupirant. La porte de l'appartement claqua.

– Vous parliez de casier judiciaire ?

– De l'effacement du casier judiciaire. Cela se pratique pour les mineurs. Pour ne pas compromettre leur avenir.

– Ah oui, en effet, j'en ai entendu parler.

– Dory avait quinze ans quand elle a tailladé la figure d'une de ses camarades de classe avec une lame de rasoir.

Alex écarquilla les yeux.

– À l'époque, nous savions qu'elle était perturbée, mais nous avons essayé de la soutenir. Nous lui avons trouvé des excuses. Nous avons dit que cette fille la harcelait. Moyennant une petite fortune, l'avocat a obtenu la non-inscription au casier judiciaire. Nous n'imaginions pas…

Elaine poussa un lourd soupir, le regard rivé sur la porte-fenêtre menant au jardin, comme si elle voyait là, étendu sur le sol, le cadavre de sa fille.

– Cet incident au lycée... Peut-être l'avait-on poussée à bout ? suggéra Alex.

– Vous êtes vraiment résolue à prendre son parti, rétorqua Elaine, incrédule.

– Mais non... je cherche simplement à comprendre.

Elle était cependant ébranlée par les révélations d'Elaine sur le passé de Dory, sa violence. Quel genre de jeune fille agresserait une camarade avec un rasoir ?

À cet instant, des voix retentirent dans le vestibule. Garth reparut, suivi de Therese, et d'une femme à l'air las, aux boucles noires striées de fils d'argent. Elle était affublée d'un ensemble en polyester peu seyant et d'un corsage fleuri.

– Elles descendaient, dit Garth. Alex, je vous présente nos voisines : Joy et Therese Ennis.

– Oh, c'est mon album préféré ! s'exclama Therese qui ferma les yeux et, emportée par la musique, se mit à tournoyer, fine et gracieuse. Lauren était géniale ! ajouta-t-elle avec ferveur.

Elaine adressa un sourire indulgent à l'adolescente.

– Elle disait la même chose de toi. Chris n'est pas là, ce soir ? demanda-t-elle à Joy.

– Il donne son premier cours de calligraphie à l'YMCA[1].

Alex observait Joy. Elle discernait en elle, vaguement, la ravissante et rêveuse jeune fille qu'elle avait vue en photo dans l'appartement du dessus. Joy avait

_____

1. Ou Union chrétienne de jeunes gens.

toujours son grain de beauté au coin de la bouche et ses yeux magnifiques, à présent soulignés de cernes.

– Enfin… au moins, il est rémunéré, dit-elle d'un ton résigné.

La chanson s'acheva, Therese rouvrit les paupières. Elle regarda Alex, plissa le front.

– Hé, mais vous étiez là, l'autre jour ! lança-t-elle d'un ton accusateur.

– Exact, dit Elaine. Elle s'est fait passer pour un membre de la famille.

– Joy, tu veux une bière ? proposa Garth.

– Volontiers. La journée a été atroce, au boulot. Enchantée de vous connaître, mademoiselle…

– Alex Woods.

Elle faillit préciser qu'elle était la demi-sœur de Dory, mais ce nom jetterait probablement un froid.

– Que faites-vous dans la vie, Joy ? questionna-t-elle poliment.

– Je suis expert d'assurances.

– Ce doit être intéressant.

– Pas vraiment, mais ça paie les factures. Il faut bien que quelqu'un les paie. Mon mari est un éternel étudiant qui travaille à mi-temps dans une épicerie coopérative.

Garth, visiblement déterminé à alléger l'atmosphère, sourit à Alex.

– Une bière, Alex ?

– Non merci. Il vaut mieux que je parte, répondit-elle avec un geste en direction du vestibule.

Avant de quitter l'appartement, elle pourrait subtiliser le caban de Dory. Les autres étaient tous dans la cuisine. Personne ne la verrait et, à l'évidence, personne ne regretterait la disparition du manteau.

– Vous n'avez qu'à passer par là, dit Elaine d'un ton péremptoire.

Elle se dirigea vers la porte-fenêtre qu'elle ouvrit, et actionna un interrupteur, éclairant une allée bordée d'arbustes et de plantes.

– Il fait nuit, dit-elle en guise d'explication.

– Oui, mais je…

Alex n'acheva pas sa phrase. Doucement, habilement, Elaine la poussait vers le jardin.

– Vous comprenez, maintenant ? murmura-t-elle. Vous ne savez pas tout, croyez-moi. Passez par ici, l'allée conduit à la rue, ajouta-t-elle à voix haute.

Manifestement, Elaine ne lui laissait pas le choix, et Alex ne voulait pas se prendre le bec avec elle.

Lorsqu'elle atteignit le petit escalier menant à la rue, la lumière s'éteignit brusquement, la plongeant dans le noir.

11

RÉFUGIÉE SOUS UN RÉVERBÈRE au coin de la rue, Alex téléphona à l'association Justice Initiative et demanda Marisol. Il commençait à neiger, des flocons légers scintillaient dans la lumière.

– Elle n'est pas là, lui dit-on. Vous avez son numéro personnel?

– Oui, merci.

C'était presque un soulagement. Elle n'avait pas envie de relater à Marisol sa visite chez les Colson. Les révélations d'Elaine sur les démêlés d'une Dory adolescente avec la justice la turlupinaient. Elle se borna donc à envoyer un texto à l'étudiante en droit, disant qu'elle pensait savoir où se trouvait le ticket de caisse manquant. Ensuite, elle regagna la gare et prit le premier train pour Chichester.

Quand elle arriva chez elle, une Ford Taurus cabossée était stationnée le long du trottoir. Marisol en sortit et extirpa de son siège réhausseur une petite fille qu'elle posa sur le sol. Main dans la main, elles rejoignirent Alex.

– Que faites-vous là? s'étonna celle-ci.

– J'ai reçu votre texto. C'est quoi, cette histoire?

– Vous avez fait le trajet depuis Boston ?

– Non, j'allais chercher Iris chez ma mère, à Waltham. Iris, c'est Mlle Woods. Tu lui dis bonjour.

La fillette, aux yeux lumineux, plaqua les doigts sur sa bouche.

– Bonjour, souffla-t-elle, intimidée.

– Je suis contente de te connaître, Iris.

– Alors, ce ticket ? demanda Marisol.

– Venez, je vais vous expliquer. Tu veux manger ou boire quelque chose, Iris ? proposa Alex, même si elle doutait d'avoir dans la maison les douceurs susceptibles d'amadouer une enfant. Du jus d'orange ?

Iris secoua la tête.

– J'ai peut-être des jouets qui pourraient la distraire, mais ils sont au grenier.

– Vous avez la télé ? rétorqua Marisol, toujours aussi directe.

– Ah oui.

Elle passa au salon, alluma la lumière et la télé. Marisol installa sa fille sur le canapé et l'enveloppa dans un plaid en laine.

– Tu es sage. Maman n'en a pas pour longtemps.

Iris opina docilement. Marisol suivit Alex dans la cuisine.

– Une mère qui prétend ne pas utiliser la télé comme baby-sitter n'est qu'une sale menteuse, décréta-t-elle.

– Vous avez certainement raison.

Alex ôta ses chaussures et, pieds nus, s'approcha du réfrigérateur. Elle expliqua succinctement à Marisol sa théorie sur le caban et le ticket de caisse.

– J'ai pensé que s'il était encore dans la poche du

116

manteau, la date et l'heure pourraient nous permettre de confirmer les déclarations de Dory.

– Et alors, qu'est-ce que vous avez fait ? demanda Marisol d'un air sévère.

Alex lui résuma son expédition jusqu'à la boutique de la gare de Back Bay, puis chez les Colson. Elle tendit une bouteille de bière à Marisol qui la refusa.

– Je conduis, et j'ai un trésor à bord.

Alex se servit un verre de vin, invita Marisol à s'asseoir à la table.

– Donc, je suis allée chez les Colson et figurez-vous que j'ai trouvé le caban ! Dans le vestibule, accroché à une patère.

Marisol se frappa le front.

– Ne me dites pas que vous avez pris le ticket, grogna-t-elle.

– Eh bien quoi ? C'était le but, rétorqua Alex, offensée, en buvant une gorgée de vin.

– Oh non…

– Vu votre réaction, vous serez satisfaite d'apprendre que je n'ai pas pu le récupérer. J'ignore même s'il est dans le manteau, pour être franche. La mère de Dory a débarqué, elle m'a flanquée à la porte. J'exagère à peine.

– Vous avez dit à la mère ce que vous cherchiez ? interrogea Marisol avec inquiétude.

– J'ai failli, mais j'ai préféré me taire.

– Ouf… tant mieux. Vous auriez dû me demander mon avis avant de foncer tête baissée.

– J'ai estimé pouvoir me passer de votre permission.

Marisol agita les mains.

– Ça va, tout va bien.

– Comment ça, tout va bien ? s'énerva Alex. Je ne vous suis pas. Je n'ai pas le ticket. Et je doute qu'Elaine Colson me laisse de nouveau entrer chez elle. Je pensais que c'était une bonne idée de procéder de cette façon. Je me suis trompée.

– Non, c'était une bonne idée, la rassura Marisol. Géniale, même. Simplement, ce n'est pas à nous de prendre ce ticket. Cela incombe à la police. Sinon, ce ne sera pas une preuve recevable.

– Oh…, bredouilla Alex, qui avait bien failli fourrer dans son sac le contenu des poches du caban – heureusement que l'arrivée d'Elaine l'en avait empêchée ! Ça ne m'a pas effleuré l'esprit, je…

– Ne vous tracassez pas. Nous savons que le manteau est là, c'est l'essentiel. Nous ferons en sorte d'obtenir une commission rogatoire pour le récupérer.

– La police perquisitionnerait le domicile des Colson ?

– Non. Mais je peux sans doute obtenir que ce vêtement soit saisi.

– Si le ticket est dans la poche, aura-t-on la preuve que Dory n'a pas assassiné sa sœur ?

– Pas exactement. Elle aurait pu rentrer à l'appartement après sa balade et tuer sa sœur à ce moment-là. Après tout, c'est elle qui a découvert le corps et qui a appelé le 911.

Alex dévisagea la jeune femme.

– Je suis paumée. Vous croyez Dory, oui ou non ?

– Je me borne à dire ce qu'un juge pourrait dire.

– Mais dans ce cas, pourquoi nous donner tout ce mal ? Si le ticket ne prouve pas qu'elle n'a pas menti, il n'a aucune valeur.

– Si, au contraire. Ça nous permettra éventuellement de retourner la situation. Grâce à ce ticket, on a les moyens d'estimer le temps qu'il a fallu à Dory pour regagner l'appartement. Comme on sait à quelle heure elle a alerté le 911, on sera peut-être en mesure d'affirmer avec certitude qu'il lui était impossible de commettre le crime.

– Vraiment ? dit Alex avec un regain d'espoir.

– À condition que ce foutu ticket soit toujours, comme vous le pensez, dans la poche du manteau. Donc, ne nous emballons pas.

– Bien sûr.

Elles restèrent un instant silencieuses, chacune perdue dans ses pensées. Alex sirotait son vin.

– Il y a autre chose, dit-elle soudain.

Marisol la regarda, les sourcils en accent circonflexe.

– Figurez-vous que Dory a été en maison de correction. Elle était lycéenne à l'époque et elle a blessé une de ses camarades avec une lame de rasoir. La condamnation a été effacée de son casier judiciaire.

– Vous en êtes certaine ?

Marisol avait pâli.

– Vous l'ignoriez, n'est-ce pas ?

– S'il y a eu effacement du casier judiciaire, je n'avais aucun moyen de le savoir.

– Et vous ne vous demandez pas si…

– Hé ! coupa Marisol. La demande de révision du jugement repose sur des bases solides. Cette affaire n'a aucun rapport avec… le reste.

– Légalement, peut-être, mais…

– Je ne m'occupe que de l'aspect légal. Bon, enchaîna Marisol en se levant, je ne m'attarde pas

119

davantage. Il faut encore que je donne son bain à ma fille et que je lui lise une histoire. Heureusement ma mère l'a fait dîner. Dieu merci, j'ai ma mère. Iris ! Viens, chaton, on s'en va.

Elle s'accroupit pour aider sa fille à mettre sa veste.

Alex, immobile, se mordillait les lèvres.

– Est-ce que… ça change quelque chose pour vous ?

– C'est-à-dire ?

– Eh bien, au sujet de Dory… quelle est votre opinion ?

Marisol haussa les épaules.

– Un accusé doit être correctement défendu, voilà tout. À présent, grâce à vous, nous avons peut-être la preuve concrète que Dory ne l'a pas été. Si nous trouvons ce ticket, il y aura un nouveau procès. Je suis très confiante.

Marisol dévisagea Alex.

– Pourquoi ces questions ? Vous avez des doutes ?

– Je suis un peu… inquiète.

– Le ticket, voilà tout ce qu'il nous faut, dit Marisol en lui tapotant le bras. Ce n'est pas une preuve ADN, mais ça suffira. Concentrons-nous là-dessus.

Elle souleva la petite Iris dans ses bras.

– Demain sera une rude journée. Il faut que j'obtienne cette commission rogatoire et que je rectifie certains éléments du dossier. Vous avez fait du super-boulot, Alex.

Celle-ci esquissa un pâle sourire.

– Au revoir, Iris.

– Dis au revoir, ordonna Marisol.

– 'voir, susurra la petite.

– Je vous tiens au courant, dit Marisol en sortant.

Alex éprouva une bouffée d'angoisse. Marisol ne voyait que l'aspect juridique des choses. Dory n'était pas sa sœur.

– Soyez prudente. Avec cette neige, les routes sont glissantes.

Marisol lui sourit, resserra ses bras autour de son enfant.

– Je suis toujours prudente.

12

L E LENDEMAIN, Alex essaya de se remettre au net-
toyage de la maison, mais elle ne parvenait pas
à se concentrer sur sa tâche. Dory, le caban de
Dory, le coup de fil de Marisol – qu'elle attendait
avec impatience –, elle ne pensait qu'à ça.

De guerre lasse, elle enfila un manteau, des
bottes et sortit. Il y avait un but à sa promenade :
un grand magasin, au centre de Chichester où l'on
vendait des livres et des CD d'occasion. Elle avait
l'intention de demander au patron s'il prendrait les
bouquins dont Seth ne voudrait pas. Voire toute la
bibliothèque, si Seth ne revenait pas faire son
choix. Un prétexte comme un autre pour s'échapper de la maison.

Il faisait un froid de loup, mais la balade la revi-
gora. Elle poussa la porte du magasin, une odeur
de moisi, de vieux papier, lui emplit les narines.
Elle s'efforça de respirer par la bouche. Au comptoir, un homme ventripotent et binoclard examinait
des sacs de bouquins que lui avait apportés un
client. Alex allait devoir patienter.

Elle en profita pour jeter un coup d'œil aux CD

– rythm and blues, opéra, musique folk, mais peu de country.

– Tu me files ? lança soudain une voix grave.

Elle se retourna d'un bond et rougit à la vue de Seth Paige, qui tenait dans ses mains une demi-douzaine de CD. Il lui sembla l'avoir fait apparaître devant elle par la seule force de sa pensée.

– Bonjour… Ce ne serait pas plutôt toi qui me suis ?

– Possible. J'adore cet endroit.

– Moi aussi. Je viens demander au patron si les bouquins dont tu ne voudras pas l'intéresseraient.

– Je t'en débarrasserai, ne t'inquiète pas. Je suis passé hier, mais tu étais absente.

– Oui, j'ai été assez débordée.

Il attendait manifestement qu'elle poursuive, mais elle se tut, ne sachant par où commencer. Il baissa les yeux sur le casier de CD.

– Tu es une fan de country ?

– Pas vraiment. Je cherchais un CD de Lauren Colson. La sœur de Dory. Elle a enregistré deux ou trois albums…

– Une chanteuse country de Boston ? Ça, c'est un oiseau rare.

– Son père est originaire de l'Ouest. Je suppose qu'il lui a fait découvrir cette musique. Une fois sa carrière lancée, elle s'est installée dans le Missouri.

– À Branson ?

– Mais oui. Comment tu le sais ?

– C'est une des capitales de la country. Un genre de Nashville de l'Ouest.

– Tu es drôlement calé, dis donc.

– Certaines informations se collent à ma cervelle

124

comme à du papier tue-mouches. En fait, pour moi, toutes les chansons de ce style se ressemblent, ajouta-t-il avec un sourire malicieux. On y parle de Jésus, de pauvres filles en colère et de routiers.

– Moi non plus, je ne suis pas folle de cette musique. Mais je suis curieuse. Et déçue, parce que je ne trouve pas Lauren Colson.

Seth se pencha sur un casier étiqueté « Divers ».

– Elle est peut-être là-dedans.

À cet instant, le mobile d'Alex sonna. Elle le sortit de sa poche.

– Excuse-moi, il faut que je réponde. Allô, Marisol ?

– Vous pouvez venir, Alex ? C'est important.

– Je me dépêche.

Une demi-heure plus tard, Alex, essoufflée, montait quatre à quatre l'escalier menant à l'étage de Justice Initiative. La porte du bureau était ouverte, Marisol s'acharnait à introduire des documents dans un casier déjà plein de dossiers. Alex s'immobilisa sur le seuil de la pièce.

– Vous avez le caban, dit-elle.

Un large sourire fendit le visage de l'étudiante.

– Il était à l'endroit exact que vous aviez indiqué. Les policiers s'en sont saisis en ma présence. Et le ticket était dans la poche ! On a la date et l'heure de l'achat.

Alex laissa échapper une exclamation.

– Ça tombe à pic, continua Marisol. L'audience aura lieu vendredi.

– Vendredi ? Oh mon Dieu ! Vous avez prévenu Dory ?

– Pas encore. J'ai préféré attendre votre arrivée pour l'appeler. On mettra le haut-parleur.

Dory, lorsqu'elle prit la communication, paraissait déprimée.

– Bonjour, Dory, c'est Marisol. Alex est à côté de moi. Nous tenions toutes les deux à vous annoncer la nouvelle.

– Quelle nouvelle ?

– Dites-le-lui, Alex. C'est vous qui avez trouvé la pièce manquante du puzzle.

Rouge de plaisir, Alex expliqua à Dory l'histoire du ticket.

– Marisol a obtenu une commission rogatoire, la police a récupéré ton caban. Le ticket était dans la poche, là où tu l'avais laissé il y a trois ans.

– Ouah ! C'est vrai ? Qui aurait parié qu'il y était encore ?

– Pourtant il y était, dit Alex.

– Un bon point pour moi, non ?

– Absolument.

– Un très bon point, renchérit Marisol. Et cela n'aurait pas pu mieux tomber. Nous avons appris aujourd'hui que l'audience aurait lieu vendredi. Avec ce nouvel élément qui confirme votre alibi, je suis extrêmement confiante : nous obtiendrons la révision du jugement.

Dory resta un moment silencieuse.

– On a voulu t'avertir tout de suite.

– Oui… Je ne sais pas comment te remercier.

– Je suis vraiment contente qu'on ait retrouvé ce ticket.

– Ouah… moi aussi. Et ma mère, comment elle a réagi ?

– Ta mère ?

– Avoir la police à la maison... ça ne l'a pas trop chamboulée ?

– Je... je ne sais pas, répondit Alex qui jeta un regard perplexe à Marisol. Je n'étais pas là.

– J'espère qu'elle n'a pas été trop chamboulée, répéta Dory d'un ton anxieux.

– Elle s'en remettra, objecta Alex, agacée.

– Écoutez, Dory, nous avons de nombreux détails à revoir avant vendredi. Demain, je viendrai à la prison avec Me Gathman qui plaidera votre cause.

Alex regarda l'étudiante en droit d'un air interrogateur, pointant l'index vers sa poitrine puis vers la porte.

Marisol fit non de la tête.

– À demain, Dory.

– D'accord... C'est vous qui décidez. Alex, Marisol.. Je vous suis vraiment reconnaissante. Je n'en reviens pas que vous ayez fait tout ça pour moi.

– Je suis heureuse de pouvoir t'aider, dit Alex dans un élan d'affection.

– Vous avez de la chance que votre sœur soit arrivée au bon moment, ajouta Marisol.

– Je sais, dit Dory avec sincérité.

Les yeux d'Alex s'emplirent de larmes. Elle respira profondément.

– À demain, reprit Marisol. Essayez de ne pas vous angoisser. Tout ira bien.

– Promis ? demanda Dory d'une voix de petite fille.

– Reposez-vous, lui conseilla Marisol avant de raccrocher.

Alex s'adossa à son siège. Même si ses craintes n'étaient pas totalement dissipées, elle éprouvait une certaine jubilation. Lorsqu'elle avait décidé de retrouver sa sœur, elle n'avait pas un instant imaginé devoir batailler pour la sauver de la prison à perpétuité. Maintenant on approchait du but, elle le sentait.

Puis elle regarda Marisol et la vit soucieuse.

– Qu'y a-t-il ? Vous n'êtes pas contente ?

– Si…

– Mais ?

– Il y a une chose dont nous devons discuter. Si le juge accorde la révision du jugement, l'avocat de Dory demandera la liberté sous caution.

– Comment ça ?

– Le juge peut lui accorder la liberté sous conditions jusqu'au procès. Ou jusqu'à ce que le procureur demande l'abandon des charges. C'est peu probable, mais ça s'est déjà vu. Nous sommes forcées d'envisager cette possibilité.

– D'accord.

– Dory aura besoin de quelqu'un pour payer la caution. Dix pour cent du dépôt de garantie, et cette somme sera restituée au moment du procès. J'ignore quel sera le montant de la caution mais, à mon avis, ce ne sera pas exorbitant. Le juge n'acceptera la libération conditionnelle que s'il a la quasi-certitude que Dory a été emprisonnée à tort.

Alex devina la question de Marisol.

– Mes parents avaient des économies, et ma mère aurait souhaité que j'aide financièrement Dory. J'en suis sûre.

– Bon, voilà une chose réglée. Mais le juge

demandera également qui accepte d'accueillir Dory et d'en assumer la responsabilité.

– Sa mère ne le fera certainement pas, affirma Alex.

– Et le père ? Quelle est sa position ?

– Je ne ne sais pas trop. Mais je suppose que, s'il y a un nouveau procès, les Colson regarderont peut-être Dory d'un œil plus bienveillant.

– Sans doute.

– On ne le saura que le moment venu.

– L'ennui, c'est que notre avocat doit avoir une solution avant de demander la libération sous caution. Le juge ne se contentera pas de suppositions.

– J'espère que les Colson accepteront de se charger de Dory. C'est leur fille, quand même.

– Sinon, il y a vous.

– Moi ?

– Dory est votre sœur. Vous avez une grande maison pour vous toute seule. Donc, de la place pour elle.

Alex écarquilla des yeux affolés. Défendre Dory, payer la caution, c'était une chose. Mais vivre sous le même toit...

– Vous allez me trouver abominable... et, franchement, je me sens coupable d'hésiter, mais je la connais à peine.

– Je ne vous trouve pas abominable, Alex. Soyons honnêtes : elle est en prison pour meurtre et nous avons appris que, dans le passé, elle a été violente. N'importe qui hésiterait. Voilà justement pourquoi je désirais en discuter avec vous.

– Je dois vous donner une réponse sur-le-champ ?

– Le plus vite possible.

– J'ai envie de mieux connaître ma sœur, sincèrement. Mais... je vais essayer de parler à son père.
Je pense que, si elle avait le choix, Dory préférerait
être auprès de ses parents. Dans son foyer.

– « Le foyer est ce lieu où, si vous devez y retourner, on doit vous recevoir. »

– Robert Frost[1]. Vous êtes une littéraire.

– Pas vraiment, mais ce vers m'a toujours plu.
Bref, à votre place, je ne m'inquiéterais pas trop.
Même si elle est rejugée, il est peu probable qu'on
lui accorde la libération sous caution.

– Mais il y a quand même une chance.

– Vous le souhaitez ?

– Je veux qu'elle puisse rentrer chez elle.

– À condition qu'elle ait un chez-elle, conclut
Marisol.

---

1. Robert Frost (1874-1963), grande figure de la poésie de la
Nouvelle-Angleterre. Le vers cité est extrait de « The Death of
the Hired Man ».

13

E N SORTANT DU BUREAU DE MARISOL, Alex se rendit directement à Jamaica Plain dans l'espoir d'y trouver Garth Colson. Détails, la société de conservation du patrimoine architectural qu'il avait fondée, occupait un immense entrepôt dans le quartier autrefois ouvrier bordant Jamaica Pond. La clientèle de Détails allait des designers en vogue aux entreprises du bâtiment et aux bricoleurs du dimanche.

Elle entra dans l'entrepôt, se fraya un chemin parmi les vestiges historiques et finit par repérer Garth Colson.

Il était en train de trier une collection de boutons de portes en laiton et en cristal. Tout autour du comptoir derrière lequel il se tenait, s'entassaient des chambranles de fenêtres en bois, des azulejos mexicains, des statues de jardin en ciment. Des manteaux de cheminée sculptés s'appuyaient contre les murs, des colonnes grecques se dressaient sur le sol en béton.

– Monsieur Colson, puis-je vous parler ?

Garth leva les yeux et, découvrant Alex, se renfrogna.

– Pourquoi pas ? Asseyez-vous, dit-il, désignant un banc d'église en chêne.

Alex le remercia d'un hochement de tête et prit place sur le banc à l'assise incurvée. Il faisait froid dans l'entrepôt, mais Garth était habillé en conséquence : parka poussiéreuse, jean, bottes. Ses lunettes demi-lune pendaient à son cou, accrochées à une chaînette.

Alex ne tourna pas autour du pot.

– L'audience aura lieu vendredi. On saura si Dory sera ou non rejugée.

– Déjà ? Je n'étais pas au courant.

– C'est pour cette raison que je suis venue vous voir. Si la demande de révision aboutit, s'il y a un nouveau procès, l'avocat de Dory demandera la libération sous caution.

– Elle ne l'obtiendra pas, ricana Garth.

– C'est peu probable, mais pas impossible.

– Humm.

Les sourcils froncés, il se remit à trier les boutons de porte en silence. Son mutisme décontenança Alex qui poursuivit néanmoins :

– Au cas où, il faudra que le juge soit certain que Dory a un endroit où aller et quelqu'un qui se charge d'elle. J'espérais que vous et Elaine accepteriez d'assumer cette responsabilité.

– Ça non. Ma femme ne supporte même pas de lui parler au téléphone. Elle ne lui permettra pas de revenir à la maison.

– Vous pourriez quand même lui poser la question ?

– Inutile. Elle n'est pas près de pardonner ni d'oublier. Vous ne vous rendez pas compte.

132

– Mais si le tribunal estime que Dory n'a pas été traitée équitablement et qu'elle mérite un nouveau procès, il me semble que sa famille devrait au moins la soutenir.

Garth secoua la tête, soupesa dans sa paume un bouton de porte en cristal.

– On se fiche des conclusions du tribunal. Il y a des réalités indéniables.

– Lesquelles, par exemple ? riposta Alex.

– Il ne s'agit pas seulement de ce qui est arrivé à Lauren, soupira Garth. On ne s'en remettra pas, évidemment. Il ne s'agit même pas de cet incident au lycée. Non, c'est un ensemble, toute une histoire. Pendant des années, voyez-vous, Elaine et moi avons essayé d'avoir un enfant. Sans succès. Puis nous avons décidé d'adopter et, là aussi, la procédure fut longue. Nous attendions l'arrivée de Dory à la maison, enfin, quand Elaine s'est aperçue qu'elle était enceinte.

– Deux bonheurs d'un coup.

– Les gens nous servent toujours ce genre d'ânerie. Malheureusement ce n'est pas si simple. Les filles ne se sont jamais bien entendues. Et c'était toujours Dory qui agressait Lauren. Elle lui tirait les cheveux, la frappait. Comme si, depuis le premier jour, elle voulait... l'éliminer. Lauren était encore à l'école maternelle quand nous nous sommes rendu compte qu'elle avait une voix magnifique et qu'elle était... une artiste. Elaine aussi a une belle voix, vous savez. Mais on ne l'a pas encouragée quand elle était gamine. Alors elle s'est consacrée à la réussite de Lauren. On l'a scolarisée à domicile pour qu'elle soit libre de prendre ses cours de chant et de passer des auditions. C'était la solution la plus pratique, mais Dory le vivait mal.

– Elle devait avoir le sentiment que vous préfériez Lauren. Comment lui reprocher sa jalousie ?

– Je ne lui reprochais rien. Seulement, je n'avais pas compris à quel point cette jalousie était devenue redoutable. Lauren n'était presque plus jamais à la maison – elle s'était installée à Branson pour sa carrière. Quand elle venait, en coup de vent, on croisait les doigts pour que ça n'aille pas trop mal entre elles. Mais ça ne marchait pas. Lorsque Dory a commencé à fréquenter ce podologue…

– Rick Howland.

– Oui… Rick. Dory semblait enfin heureuse. Elle ne pensait plus qu'à Rick, cela nous donnait de l'espoir. On se disait que ça l'apaiserait. Qu'elle se marierait, pourquoi pas, qu'elle quitterait le nid. Mais non… en fait, Lauren l'obnubilait toujours. Avoir cru que Dory maîtrisait sa jalousie, quelle tragique erreur de notre part. S'il n'y avait pas eu le podologue amoureux des chiens, elle aurait trouvé autre chose.

Alex tremblait.

– Peut-être que ce Rick Howland et Lauren avaient bel et bien une liaison. Certains hommes sont infidèles par nature. C'est sa parole contre celle de Dory, n'est-ce pas ? Pourquoi choisir de le croire, lui ?

Garth darda sur elle un regard implacable.

– Pourquoi ? Parce que je connaissais ma fille.

– Lauren ? dit-elle d'une voix aigre. Lauren, celle qui ne pouvait pas se conduire mal ?

– Non, répondit-il avec tristesse. Lauren qui était homosexuelle.

Alex le dévisagea, muette. Garth esquissa un sourire amer.

– Eh oui. Lauren n'aurait pas essayé de chiper le petit copain de Dory. Impossible. Elle n'était attirée que par les femmes.

– Je ne comprends pas. Dory n'était pas au courant ? demanda Alex, stupéfaite.

– Personne n'était au courant. Surtout pas Dory. Il fallait le lui cacher, elle s'en serait servie pour nuire à sa sœur. Lauren se faisait un nom dans la country. Moi, j'ai grandi dans l'Ouest. Croyez-moi, je sais de quoi je parle. Dans le monde de la country, il n'y a pas de place pour les gays. Un point, c'est tout. Vous vous souvenez de la belle Chely Wright ? Elle a fait son coming out voici quelques années, et ça a porté un coup fatal à sa carrière. C'est déplorable, mais c'est comme ça. Lauren avait travaillé trop dur pour réaliser son rêve.

À ce moment, le mobile de Garth sonna. Il le prit, jeta un coup d'œil à l'écran.

– Elaine… excusez-moi.

Il s'éloigna du comptoir pour prendre la communication. Alex l'entendit murmurer, lut l'angoisse sur son visage. Il raccrocha, braqua sur elle un regard dur.

– Ma femme m'appelait du travail. Elle est très énervée. Elle a dû retourner en vitesse à l'appartement parce que la police est venue récupérer un vieux manteau de Dory.

– Je sais.

– Vous ne me surprenez pas. Vous devriez vous

en aller, mademoiselle Woods. Très loin d'ici, si vous avez deux sous de jugeote.

– Venez à l'audience, monsieur Colson, s'il vous plaît. Vous risquez de découvrir que vous n'avez pas été tout à fait juste envers Dory.

– Oh, je serai là, rétorqua-t-il d'un ton las. Je vous le garantis.

Alex hésita, puis se leva. Elle n'obtiendrait rien d'autre des Colson, c'était clair désormais. L'éventuelle libération sous caution de Dory dépendait uniquement d'elle.

14

–Veuillez vous lever, déclara l'huissier.
Tout le monde obéit, tandis que le juge, sa
robe noire flottant derrière lui, quittait la salle d'audience pour regagner son bureau et prendre sa
décision.

Des murmures d'excitation coururent dans le pré-
toire. Alex se pencha par-dessus la balustrade et
tapota l'épaule de Marisol.

– Votre avis ?

Marisol, souriante, fit le signe de la victoire.

– Je crois que ça s'est bien passé.

– Moi aussi, j'ai cette impression.

Durant deux heures, Harold Gathman, l'avocat de
l'association Justice Initiative, avait brillamment parlé
et, surtout, versé au dossier le ticket de caisse – un
véritable coup de théâtre. Gathman avait ensuite
présenté la nouvelle chronologie des événements et
démontré que Dory ne pouvait pas être chez les Colson
à l'heure du crime. Cette révélation avait arraché des
exclamations aux personnes présentes dans la salle.

Le procureur, qui croulait sous les affaires du
même genre à cause de la totale incompétence de

l'avocat commis d'office et radié du barreau depuis, avait mollement riposté que Dory avait plaidé coupable, de son plein gré ; par conséquent elle était bien la meurtrière de Lauren Colson.

Alex jeta un coup d'œil à sa sœur, assise près de Gathman. Elle paraissait ailleurs. Menottée, vêtue de sa combinaison bleu marine de détenue, elle fixait le vide devant elle, perdue dans ses pensées, indifférente à ce qui se passait autour d'elle. Alex se déplaça pour venir se camper derrière elle. Elle lui effleura le bras. Dory sursauta, se retourna.

– Marisol est optimiste, lui dit Alex.

– Ah oui ?

– Absolument. Et moi, j'ai l'intuition que la décision du juge te sera favorable. Tu l'auras, ce nouveau procès.

Dory hocha la tête.

– Tu as vu ? Mes parents sont là. Tu crois que je pourrai leur parler ?

Alex avait effectivement vu les Colson, et elle le regrettait. Ils étaient installés de l'autre côté de l'allée centrale, derrière la table du procureur. Elaine arborait sur son corsage un gros badge rond en plastique : la photo de Lauren Colson.

– Oui, je les ai aperçus.

– Ma mère a l'air d'aller bien.

– En effet, dit Alex avec circonspection.

– Chris et Joy sont là aussi, ajouta Dory, montrant du menton les Ennis groupés derrière ses parents. Ils ont amené Therese. Ils habitent au-dessus de chez nous. Ils sont tous venus me soutenir. Des clients dont je gardais le chien, un de mes profs au lycée...

Alex fouilla la salle des yeux. Chris Ennis avait les

bras croisés, ses longues jambes étendues devant lui. La fragile Therese était entre lui et sa mère. Elle se tenait très droite, elle semblait sur ses gardes, intimidée. Joy avait le bras sur le dossier de sa chaise, comme pour protéger sa fille. Alex les avait vus entrer sur la pointe des pieds pendant l'exposé de Gathman.

– C'est bien, acquiesça-t-elle.

Elle doutait fort que ces gens soient là pour encourager Dory, mais celle-ci était tellement surprise et contente… Inutile de lui gâcher son plaisir.

– Alex ! chuchota Marisol.

– Oui ?

Alex la rejoignit.

– Vous avez remarqué le badge de la mère de Dory ? s'indigna Marisol. Heureusement qu'il n'y a pas de jurés. S'ils voyaient ça… On dirait qu'elle s'acharne à nous savonner la planche. Qu'est-ce qui cloche chez cette femme ?

– Et elle a pris place derrière la table du procureur. N'empêche que Dory est persuadée que sa mère est là pour la soutenir.

– Elle a vraiment des œillères.

– En tout cas, il y a du monde.

De nouveau, Alex balaya la salle des yeux. Son cœur fit un bond lorsqu'elle reconnut, dans le fond, un homme brun et barbu. Il la salua d'un hochement de tête.

– Qui est-ce ? lui demanda Marisol à voix basse. Il est drôlement sexy.

– Seth Paige, un voisin. Ça m'étonne qu'il soit là. Sans doute qu'il s'intéresse aux familles dysfonctionnelles, ironisa Alex.

Mais elle était flattée que Seth se soit donné la peine d'assister à l'audience.

– À votre avis, on va attendre longtemps ?

– Si le juge craignait d'en avoir pour l'après-midi, il aurait sans doute suspendu la séance. Non, à mon avis, sa décision sera vite arrêtée. Espérons-le.

– Oui, espérons.

Dory jeta un coup d'œil à Alex qui leva le pouce. Dory opina d'un air sinistre.

– Le voilà qui revient, murmura Marisol. Il a fait très vite.

Effectivement, une porte s'ouvrait derrière le drapeau, livrant passage au juge qui, sans regarder personne, reprit sa place. Le silence s'instaura dans la salle. Le juge Nardone s'éclaircit la gorge, rajusta ses lunettes à monture noire.

– Il est parfois préférable pour un prévenu de plaider coupable et d'éviter ainsi les risques inhérents à un procès devant jury. Lorsqu'il choisit cette option, on considère qu'il en connaît les avantages et les inconvénients, et que sa décision va dans le sens de ses intérêts. Dans l'affaire qui nous occupe, on a convaincu la défenderesse d'accepter un accord. Son avocat, maintenant radié du barreau, n'a même pas tenté d'assurer sa défense. Il n'a pas mené d'enquête à décharge, quoiqu'il ait affirmé le contraire à sa cliente. Notre constitution garantit à tout citoyen le droit d'être défendu par un avocat. Ici, ce droit fondamental a été bafoué.

« Un prévenu a également le droit de comparaître devant un jury. Si l'avocat de la défenderesse avait fait son travail, il aurait retrouvé le ticket de caisse que Me Gathman nous a présenté aujourd'hui comme pièce à conviction. S'il y avait eu procès, il aurait utilisé cet élément pour étayer l'alibi de sa cliente. Nous ne saurons jamais quelle issue aurait eue un tel procès, mais nous pouvons présumer que, grâce à ce ticket de caisse, on aurait vraisemblablement disculpé la défenderesse.

« En conséquence, nous estimons que la défenderesse a été poussée, par la faute d'un avocat incompétent, à plaider coupable. Le jugement et la sentence sont donc suspendus, et l'affaire renvoyée devant la cour d'appel. Le procureur de cette juridiction aura deux semaines pour maintenir ou non les chefs d'accusation.

Des hourras et des exclamations fusèrent. Alex, qui retenait sa respiration depuis un long moment, eut l'impression de recevoir une décharge électrique. Marisol se retourna, toutes deux se serrèrent la main. Dory avait les yeux écarquillés. Elle regardait fixement le juge, comme si elle n'était pas sûre d'avoir bien entendu.

– Silence ! ordonna sévèrement le juge. Nous n'avons pas terminé. Une demande de libération sous caution a été déposée. Maître Gathman ?

Celui-ci bondit sur ses pieds.

– Merci, monsieur le juge. Au vu de ce nouvel élément de preuve, et du fait qu'un procès aurait pu aboutir à un acquittement, nous déclarons que la défenderesse devrait être libérée sous caution en attendant la décision du procureur.

L'expression du juge demeura indéchiffrable.

– Nous sommes enclins à partager votre opinion. Dans le cas d'une libération conditionnelle, où résiderait la défenderesse ?

Dory se tourna vers ses parents. Elle savait déjà que, si elle était libérée, elle irait chez Alex, mais sur son visage se lisait une prière. La malheureuse allait être déçue – la décision du juge en sa faveur n'ébranlerait pas ses parents.

Garth Colson détourna les yeux. Elaine ne lui fit même pas l'aumône d'un regard.

– Mlle Woods, la sœur de la défenderesse, a proposé d'accueillir cette dernière à son domicile. Mlle Colson y résidera de façon permanente jusqu'au procès – si procès il y a. Je vous ai communiqué tous les documents nécessaires.

Le juge hocha la tête.

– La défenderesse est autorisée à résider chez sa sœur, à son domicile de Chichester, et ce aux conditions suivantes...

Il énuméra les obligations que Dory aurait à respecter. Elle était notamment tenue de se présenter régulièrement à un agent de probation et n'avait pas le droit de quitter la ville. Alex observa Dory qui, à contrecœur, cessa d'implorer silencieusement ses parents. Une expression de révolte se peignit sur ses traits, dans ses yeux brillèrent des larmes de colère. Alex eut pitié d'elle.

– Huissier, conclut le juge, libérez la défenderesse.

L'homme en uniforme kaki s'approcha de Dory. Il lui ôta les menottes. Dory se massa doucement les poignets.

– Je souhaite parler aux avocats de la défense et de l'accusation, dans mon bureau, déclara le juge. Bonne chance, mademoiselle Colson. L'audience est suspendue.

Il abattit son marteau sur sa table et, tandis que l'huissier aboyait « Levez-vous, mesdames et messieurs ! », sortit de la salle. Dory cacha son visage dans ses mains. Harold Gathman lui tapota l'épaule.

– Je suis très heureux pour vous, dit-il, radieux.

Dory étreignit Marisol.

– Merci, murmura-t-elle. Merci, dit-elle à Alex. Merci beaucoup.

Alex lui sourit gentiment.

Garth et Elaine venaient dans leur direction. Dory se redressa et les dévisagea. Son menton tremblait.

– Je suis content pour toi, Dory, dit Garth.

Il la prit gauchement dans ses bras. Avec raideur, elle se dégagea et regarda sa mère droit dans les yeux.

– Et toi, tu es contente pour moi ?

– Oui, bien sûr, répondit Elaine, impassible.

– Alors pourquoi je ne peux pas rentrer à la maison ? demanda Dory d'une voix éraillée.

– Si ce n'est pas toi, pourquoi as-tu déclaré avoir tué ta sœur ? Explique-moi ça.

– Laisse-moi rentrer à la maison.

– S'il te plaît, ma grande, intervint Garth. Pas maintenant, pas ici. On en discutera une autre fois. Viens, Elaine.

Il prit sa femme par le bras et l'entraîna hors de la salle. Dory se cacha de nouveau le visage dans les mains.

– Elle se calmera, lui dit Marisol d'un ton rassurant.

Harold Gathman se pencha vers Alex.

– Veillez à ce qu'elle respecte strictement les obligations qu'on lui a fixées, et on vous restituera la caution.

– D'accord. Et maintenant, il se passe quoi ?

– Eh bien, je vais parler au juge, histoire de régler tous les détails. Vous pourrez alors ramener votre sœur chez vous. Ensuite, ou bien les charges qui pèsent contre elle seront abandonnées, ou nous préparerons une défense digne de ce nom pour le procès. Cela ne posera pas vraiment de problèmes. Je passerai la main à Marisol. Après tout, c'est son affaire.

– Elle la connaît par cœur, effectivement.

L'avocat opina, rangea ses affaires dans son attaché-case.

– Dory, dit-il.

– Oui ?

– Il y aura une meute de journalistes, dehors. Ne faites aucune déclaration. Dites-leur seulement que vous êtes satisfaite. Rien de plus. Pas un mot sur le nouveau procès, ou je ne sais quoi de ce genre. D'accord ?

– Pourquoi ?

– Cette libération conditionnelle pourrait donner matière à controverse. Pas de commentaires, ou vous risquez de vous retrouver à Framingham. C'est bien compris ?

Dory acquiesça, maussade.

– J'ai prévu une petite fête pour Dory à la maison, annonça Alex. J'espère que vous serez des nôtres.

– Bien sûr, répondit l'avocat.

144

Alex chercha Seth des yeux. Elle voulait l'inviter, lui aussi. Mais il avait disparu.

Chris Ennis, Joy et Therese se tenaient à l'écart. Joy avait le nez sur son iPhone. Therese, la figure rougie, se tamponnait les paupières. Elle pleurait.

Alex s'avança vers eux.

– Cette histoire me dépasse, lui dit Chris. Elle l'a fait ou elle ne l'a pas fait ?

La question à un million de dollars, pensa Alex.

– Merci d'être venus aujourd'hui. C'est très gentil de votre part.

– Nous étions là pour Garth et Elaine, rétorqua Joy. Et aussi pour Dory. Nous ne prenons pas parti.

– Mon père m'a obligée à venir, bredouilla Therese d'un air égaré.

– Nous donnons une petite fête chez moi, déclara Alex. Si cela vous tente, vous êtes les bienvenus.

– Je dois retourner au travail, objecta Joy. Et Therese a cours.

– Je les emmène, dit Chris. Mais merci de nous avoir invités.

– Pourquoi une fête ? pleurnicha Therese. Qu'est-ce qu'il y a à fêter ?

Dory, en entendant cette remarque, se tourna vers les voisins de ses parents.

– Je croyais que vous étiez là pour moi.

– Pourquoi on serait là pour toi ? rétorqua aigrement Therese.

Joy essaya de la faire taire, mais Therese ne se laissa pas museler.

– Lauren est morte. Plus personne n'y pense ?

– Arrête, la rabroua Joy.

Elle tendit la main à Dory qui l'ignora.

– Elle n'est pas dans son assiette, ne fais pas attention. Nous sommes contents pour toi, Dory.

Muette, Dory suivit des yeux Chris et Joy qui, la tenant chacun par un bras, entraînaient hors du tribunal leur fille en pleurs.

15

– TU ES ICI CHEZ TOI, annonça Alex.
Dory entra dans la chambre d'amis que sa sœur avait préparée, jeta un regard circulaire.

– C'est bien, dit-elle posément. Pas aussi bien que ma chambre à la maison, mais ça ira…

Cette maison où on ne veut pas de toi ? Ravalant cette remarque, Alex ouvrit la penderie.

– Je t'ai mis quelques-unes de mes affaires. Je crois que nous faisons la même taille.

– Comment tu connais ma taille ?

– Le caban…

– Ah oui, c'est vrai.

Dory palpa le tissu d'une jupe.

– Elles sont jolies, ces fringues.

On entendait les gens bavarder au rez-de-chaussée. À leur arrivée, Marisol, bien décidée à fêter ça, avait aidé Alex à déballer un plateau de canapés achetés chez le traiteur.

– Il faut rejoindre nos invités, Dory.

– Je me change. Je vais mettre cette robe en jersey.

– D'accord, descends quand tu seras prête.

Alex regagna le rez-de-chaussée. Dans le vestibule, Harold Gathman discutait avec une femme en veste d'équitation et bottes UGG.

– Maître Gathman, je me réjouis que vous soyez là, dit Alex. Nous ne nous connaissons pas, je crois, enchaîna-t-elle en tendant la main à la femme.

– Je suis une amie de Dory, déclara son interlocutrice sans lui laisser le temps de se présenter. Regina Magill. J'étais l'une des meilleures clientes de Dory. Voyez-vous, je suis une sorte de courtier. Je marie des gens avec le chien de leurs rêves. Je recommandais toujours Dory à mes nouveaux contacts. Une fille formidable, si gentille avec les animaux. On ne peut pas duper les animaux. Ils connaissent les humains, ils sentent à qui ils ont affaire.

Alex sourit poliment, la remercia puis se dirigea vers la cuisine. Marisol versait du champagne dans des verres en plastique qu'elle tendait ensuite à Laney Thompson – celle-ci n'avait eu qu'à traverser la rue pour assister à la petite réception.

– Seth a prévu de passer ? lui demanda Alex. Il était au tribunal.

– Il viendra sûrement.

– On va être bientôt être à sec, annonça Marisol. Il reste du champagne ?

– Je cours le chercher.

Elle avait mis quelques bouteilles dans une glacière, sur la petite véranda derrière la maison. Elle en prenait une quand, du coin de l'œil, elle capta un mouvement dans la végétation. Fouillant du regard le jardin mélancolique, elle aperçut un type avec un appareil photo qui essayait de se dissimuler derrière un arbre.

148

– Qu'est-ce que vous faites ici ? l'apostropha-t-elle.

– Je voulais prendre quelques clichés, dit-il d'un ton penaud.

– C'est une propriété privée. Vous n'avez pas le droit de vous introduire dans mon jardin pour mitrailler les gens.

– Ben, j'y peux rien si vous êtes à la une ! Vous vivez sous le même toit qu'une meurtrière qui a avoué son crime !

– Pour qui travaillez-vous ? Sortez de chez moi ou j'appelle la police.

Le type la photographia.

– Maintenant ça suffit ! cria Alex qui descendit les marches en sortant son mobile de sa poche.

L'homme recula et déguerpit à toutes jambes.

– Espèce de salaud !

Dans son dos, la porte s'ouvrit.

– Hé, qu'est-ce qu'il y a ? interrogea Seth. Je t'ai entendue crier.

– Oh, tu es là, bredouilla Alex qui tremblait.

– Je n'aurais manqué ça pour rien de monde. Il n'y a rien eu d'aussi palpitant dans le quartier depuis des lustres. Alors dis-moi : qu'est-ce qui se passe ?

Alex remonta les marches.

– Un imbécile de photographe. Il voulait une photo de Dory, et il a dû se contenter de moi. Je l'ai chassé. J'espère que ça s'arrêtera là, soupira-t-elle.

– Je n'en mettrais pas ma tête à couper. Ta sœur et toi, vous risquez d'être sous les feux des projecteurs un certain temps.

– Oui, probablement. Tu étais au tribunal, ajouta-t-elle timidement.

– Je suis un vilain curieux. J'ai l'impression qu'il n'y aura pas de second procès. Cet avocat de Justice Initiative a solidement ficelé son dossier.

– Pourvu que tu aies raison ! Entre nous, je ne serais pas fâchée que tout ça se termine.

– Héberger ton invitée ne t'emballe pas ?

– Non, ce n'est pas le problème. Ça me donnera l'occasion de la connaître.

– Mais... ?

Alex ne répondit pas tout de suite.

– Il n'y a pas de mais. Dory est ma sœur. Je n'ai pas encore l'habitude de dire ces mots, ça me fait bizarre.

– Tu les dis pourtant de façon convaincante. À propos...

De la poche intérieure de sa veste, il tira un boîtier en plastique carré.

– Je l'ai trouvé l'autre jour au magasin, après ton départ.

Calant la bouteille de champagne sous son bras, Alex prit le CD et regarda la jaquette. Lauren Colson, charmante et sexy. Son album s'intitulait : *N'aimer que toi.*

– Merci, Seth. Tu es très gentil.

Alex l'observa discrètement. Elle avait souvent été attirée par des hommes compliqués, ténébreux, qui paraissaient ne prêter aucune attention à ce qu'elle leur racontait, sauf quand elle piquait une crise de rage. Le visage de Seth était extrêmement viril, mais on y lisait de la sincérité. De l'empathie.

Il s'intéressait à elle, à sa vie, et ne le cachait pas. Ce qui ne signifiait peut-être rien.

– Il m'a fallu un moment pour le dénicher dans ce capharnaüm. Le disquaire le vendait d'occasion, d'où l'absence de blister.

– Tu l'as écouté ?

– Oui. Je ne suis pas fan de country, je te l'ai dit, mais cette fille avait vraiment une belle voix et beaucoup de sensibilité.

– Je crois que, tant que Dory sera à la maison, je m'abstiendrai de l'écouter.

– Tu ne feras pas quoi, tant que je serai là ?

Dory était sortie sur la véranda. La robe en jersey vert olive mettait en valeur sa sveltesse et ses yeux gris fumée. Sa chevelure rousse semblait pailletée d'or.

Alex glissa le CD sous son pull avant de se tourner vers sa sœur.

– Je disais à Seth que j'ai envie de passer du temps avec toi. Pendant que tu es à la maison. Tu es ravissante !

Dory n'esquissa pas un sourire.

– Pourquoi vous êtes dehors, qu'est-ce qui se passe ?

– Votre sœur a fait décamper un paparazzi qui voulait prendre une photo de vous.

– Moi ?

Alex montra la bouteille de champagne.

– Oui, j'étais venue chercher ça, et j'ai aperçu un type planqué derrière un arbre. Je lui ai dit d'aller au diable et de nous fiche la paix.

– Je ne dois pas parler à ces gens. Ils m'ont suffisamment harcelée quand... euh... avant, quoi. Et

vous, vous êtes qui ? demanda Dory avec brusque-
rie.

– Je te présente Seth Paige. Un… voisin.

– J'ai cru que c'était ton petit ami.

– Non, répondit Alex qui se sentit rougir. Je ne…
je n'ai pas de petit ami.

– Dites donc, on se caille.

Frissonnante, Dory se frictionna les bras.

– Je rentre.

– Excellente idée, commenta Seth qui lui ouvrit
la porte. Tu viens, Alex ?

– Je vous rejoins dans une minute.

Serrant la bouteille contre sa poitrine, Alex scruta
le jardin à présent désert. Devrait-elle s'accoutumer à
ce que journalistes et curieux viennent rôder dans les
parages ? On ne lui avait pas appris à se méfier des
gens. Elle avait grandi dans une maison dont la porte
était toujours ouverte.

Dans le salon, les invités buvaient, mangeaient et
bavardaient gaiement. Comme lorsque les parents
d'Alex étaient encore de ce monde. Doug et Cathy
Woods aimaient recevoir. Les petites soirées qu'ils
organisaient étaient toujours chaleureuses et
décontractées.

Sans doute seraient-ils fiers de leur fille, de son
initiative : fêter la libération de Dory et offrir l'hospitalité à sa sœur, malgré son appréhension. Quoique,
d'une certaine manière, elle y ait été contrainte. Si le
juge était disposé à libérer Dory, comment Alex
aurait-elle pu la priver d'un refuge ?

Elle n'avait rien à redouter de Dory, se dit-elle.
Elles n'avaient pas grand-chose en commun, et

cette maison n'était qu'un havre provisoire, une escale pour Dory qui n'avait nulle part où aller.

Soudain, une vague de chagrin et d'angoisse assaillit Alex, si violente qu'elle en chancela. Ce qu'elle avait vécu ici, auprès des êtres qui l'aimaient, lui manquait atrocement. Elle se cramponna une seconde au chambranle de la porte, tremblante, contemplant le salon douillet. Dory bavardait avec Seth, les yeux rivés sur son visage séduisant. Elle lui touchait machinalement le bras, comme pour vérifier qu'elle était libre de toucher qui elle voulait, et que nul n'avait le pouvoir de l'en empêcher.

Alex sortit la poubelle, puis mit les dernières assiettes sales dans le lave-vaisselle. Dory, toujours vêtue de la robe vert olive, se campa sur le seuil de la cuisine.

– Merci, Alex. C'était sympa.

– Cette petite fête t'a plu ?

– Ouais...

– Ce n'est pas tous les jours qu'on est libéré de prison.

– Ça, c'est sûr.

Dory s'assit sur une chaise et se mit à tambouriner sur la table.

– Tu as discuté avec Seth, dit Alex.

Dory la considéra d'un air méfiant.

– Et alors ?

– Rien. J'ai juste remarqué que vous parliez, tous les deux.

– Il est sympa. Et intelligent.

– Oui... Il est professeur à l'université de Chicago. Une excellente université.

153

– Moi, je ne suis pas allée en fac, rétorqua Dory, lugubre. Je ne suis sans doute pas assez futée pour un type comme lui. Enfin… j'ai quand même fréquenté un podologue.

Alex s'abstint prudemment de tout commentaire.

– Seth retournera bientôt à Chicago. Il n'est venu que pour s'occuper de son père qui a été opéré.

– Ça ne m'empêche pas de faire plus ample connaissance avec lui.

Le ton de Dory mit Alex mal à l'aise.

– Évidemment. Tu veux bien m'aider à finir de ranger ?

– J'espérais avoir un jour de congé.

– Ici, tout le monde met la main à la pâte ! dit gaiement Alex.

– Tout le monde ? Il y a quelqu'un d'autre dans la maison ?

– Je voulais dire : nous deux.

– Ben alors, dis-le comme ça.

Dory entreprit de balayer le sol.

– J'ai pensé à un truc, déclara-t-elle en ramassant soigneusement les balayures. Ce serait bien d'avoir un chien. Tu m'as dit que tu avais toujours eu des animaux.

– Effectivement. Mais je ne suis pas certaine que ce soit le moment idéal pour adopter un chien.

– Pourquoi ?

– Il y a beaucoup à faire dans cette maison. Et je ne sais pas où je… où nous vivrons. Dans le futur.

– Tu n'aurais pas à t'en occuper, du chien. Ça, c'est mon domaine.

Les sourcils froncés, Alex s'affairait à nettoyer le comptoir.

– Humm…

– Ce photographe qui était là, enchaîna Dory. Ce ne sera pas le seul.

– Sans doute.

– Un chien les ferait déguerpir.

– Peut-être. On va y réfléchir.

– Oh, je comprends ! rétorqua Dory qui rangeait le balai dans le cellier. C'est toi qui prends toutes les décisions. Je n'ai pas voix au chapitre.

– Je souhaite simplement y réfléchir, se défendit Alex.

– J'ai l'impression d'être de retour en taule.

Alex serra les dents, elle avait du mal se contrôler.

– Tu n'exagères pas un peu ?

– Qu'est-ce que tu en sais ?

Alex compta jusqu'à dix – elles ne se querelleraient pas dès le premier soir.

– Je ne veux pas que tu aies cette impression. Cette maison est la tienne, à présent, tu es ici chez toi.

– Ce n'est pas ma maison, et je ne suis plus chez moi nulle part.

Dory sortit de la cuisine. Alex l'entendit monter bruyamment l'escalier et se diriger vers sa chambre – sa nouvelle cellule.

16

LA PORTE DE LA CHAMBRE D'AMIS était ouverte. Dory, vêtue d'un ample pull et d'un vieux jean de sa sœur, s'examinait dans le miroir de l'armoire. Résolue à repartir du bon pied, Alex chassa de son esprit le souvenir de leur désagréable discussion de la veille.

Elle frappa au chambranle.

– Bonjour !

– 'jour, répondit Dory d'une voix rauque.

– Tu as bien dormi ? demanda Alex avec un entrain qui sonnait faux.

– Pas mal.

– Tant mieux.

– Ces fringues, ça va pas.

– Ah bon ? Elles ont pourtant l'air à ta taille.

Alex se campa près de Dory. Se voir dans la glace fut un choc. Elles n'avaient pas le même teint ni la même couleur de cheveux, pourtant indéniablement elles se ressemblaient. Elles avaient bien l'air de deux sœurs.

– Le jean est trop court, grommela Dory en fléchissant une jambe. Ça va pas.

Le problème ne sautait pas aux yeux. Dory pinaillait. Peut-être refusait-elle de porter les habits d'une autre. Après de longs mois en combinaison de détenue, c'était compréhensible.

– Et si on allait faire du shopping ?

– Je préférerais récupérer mes vêtements.

– Comment ça ?

– Je veux aller chez moi récupérer mes vêtements.

– Oh…, grimaça Alex. Je ne sais pas si c'est une bonne idée, Dory.

– Pourquoi ? Ils sont à moi, ils m'appartiennent.

Alex préféra s'incliner.

– Tu as raison. Eh bien, je passerai chez tes parents prendre tes affaires.

– Je viens avec toi.

Mais ta mère ne veut pas de toi, pensa Alex, mais elle ne parvint pas à prononcer ces mots.

– De toute façon, tu ne sais pas ce qu'il me faut, ni où c'est rangé. Moi, j'en aurai pour deux minutes. Je ferai ma valise et ensuite je m'en irai, conclut Dory comme s'il n'y avait rien au monde de plus sensé.

La perspective de débarquer chez les Colson avec Dory n'enchantait pas Alex, mais, à la réflexion, le souhait de sa sœur ne paraissait pas si extravagant. Pourquoi Dory ne pourrait-elle pas avoir ses vêtements ?

– D'accord, dit-elle. On fera un saut chez tes parents.

– Maintenant ?

– J'ai quelques petites choses à régler ce matin.

– Ah oui, j'oubliais, ronchonna Dory. C'est toi qui gouvernes.

– Écoute, riposta Alex, exaspérée. Si tu veux y

158

aller seule, en train, ne te gêne surtout pas. Mais, au retour, tu auras peut-être un peu de mal à trimballer tes bagages ?

Dory ne répondit pas, ne la regarda pas.

– Si tu préfères que je t'emmène à Boston en voiture, tu devras attendre que j'ai terminé.

– Eh bien, j'attendrai. J'ai besoin de mes affaires.

Alex redescendit au rez-de-chaussée. Dory lui emboîta le pas.

– Pourquoi il y a des cartons partout ?

– J'essaie de vider la maison. C'est indispensable pour la vendre.

– Mais pourquoi tu veux la vendre ? Elle est belle, cette baraque.

Alex fut surprise et stupidement touchée par ce compliment.

– Je suis contente qu'elle te plaise.

– Évidemment qu'elle me plaît. J'aimerais bien avoir une maison comme celle-là.

– Eh bien, en un sens, tu l'as. Puisque maintenant tu habites ici.

– C'est pas pareil, dit Dory qui se mit à fureter dans les placards de la cuisine. Je suis juste une invitée.

Alex aurait voulu répondre : non, tu es ma sœur. Mais ces paroles auraient sonné creux. Elle préféra changer de sujet.

– Qu'est-ce que tu aimerais pour ton petit-déjeuner ? demanda-t-elle d'un ton léger.

Dory inspecta un placard, referma la porte.

– Parce que j'ai le choix ?

À midi, Alex ne put atermoyer davantage. Dory était assise dans le vestibule, elle attendait patiemment, son sac sur les genoux, tel un chiot en laisse. Avec un soupir, Alex chercha ses clés de voiture.

– Tu as prévu quelque chose pour transporter tes affaires ? questionna-t-elle.

– J'ai des valises chez moi, dans ma chambre.

– OK. On devrait peut-être appeler tes parents.

– Non, on y va. Si on téléphone, ils refuseront qu'on vienne.

Elle n'est pas inconsciente, elle sait, pensa Alex.

– D'accord.

À cet instant, son mobile sonna. Elle lut le nom sur l'écran. Galerie Orenstein.

– Ah, il faut que je réponde. Allô ?

– Mademoiselle Woods ? Ici Margo, de la Galerie Orenstein. Si le poste vous intéresse toujours, M. Orenstein souhaiterait vous revoir.

– Je suis à sa disposition, bien sûr !

– Lundi après-midi à quatorze heures ?

– Comptez sur moi. Merci !

Alex raccrocha et, ravie, se tourna vers Dory.

– Chic alors. J'ai un deuxième entretien pour un job dont je rêve.

– Quel genre de job ?

Elles rejoignirent la voiture, tandis qu'Alex expliquait à une Dory extrêmement attentive les caractéristiques du poste qu'elle convoitait.

– C'est une galerie prestigieuse. Louis Orenstein a découvert quelques-uns des plus grands artistes actuels. J'adorerais travailler avec lui.

– S'il t'engage, tu seras absente toute la journée ?

– Euh… oui. C'est un emploi à plein temps.

Dory hocha la tête, observant les rues de Chichester qui défilaient derrière la vitre. Le ciel était plombé, on annonçait de la neige en fin de journée. Tout était gris.

– Ce que c'est calme… Je n'ai pas l'habitude, marmonna Dory.

– J'imagine qu'en prison, le bruit est infernal…

– Ça oui, et je n'y retournerais pour rien au monde. Mais ici, on se croirait dans un cimetière.

Alex n'aurait pas dû s'offusquer de cette remarque, elle le savait, pourtant elle se sentit vexée. Merci infiniment, protesta-t-elle in petto. Du coup, elle n'avait plus envie de parler.

Elles firent le trajet jusqu'à Boston en silence. Alex avait prévu d'utiliser le parking proche du domicile des Colson mais, au dernier moment, elle préféra essayer de se garer dans la rue. Ce serait plus pratique. Par chance, elle repéra aussitôt une place.

Dory bondit hors de la voiture avant qu'Alex n'ait coupé le moteur et se précipita vers l'immeuble de ses parents. Alex se hâta de rejoindre sa sœur qui, tout en montant les marches du perron, cherchait ses clés dans son sac.

– Non, attends. Tu ne peux pas entrer comme ça. Il vaut mieux sonner.

– J'ai habité ici toute ma vie ! s'insurgea Dory.

– Pas question. Tu ranges ces clés, ou on s'en va immédiatement.

Dory la foudroya du regard, mais obtempéra. Elles pénétrèrent dans le hall et appuyèrent sur la sonnette des Colson.

Elles patientèrent un moment avant qu'Elaine n'ouvre la porte.

– Bonjour, maman.

– Bonjour, Dory.

– On vient prendre mes vêtements, dit Dory d'une petite voix.

– Je m'en suis débarrassée, en grande partie.

Alex pensa au caban qui était resté suspendu des mois à la patère. Elaine mentait.

– Elle n'a pas besoin de grand-chose, madame Colson.

– Tu as jeté mes affaires ? se plaignit Dory.

– En partie.

Soudain, l'attitude de cette femme mit Alex en colère.

– Laissez donc Dory prendre ce qu'il lui faut, et nous ne vous importunerons pas davantage.

– Ne vous mêlez pas de ça, articula Elaine, glaciale.

– Cela m'est difficile, figurez-vous, riposta sèchement Alex. Dory et moi vivons ensemble, à présent.

Elaine parut hésiter.

– D'accord, dit-elle enfin, mais ne reste pas des heures dans ton ancienne chambre.

– Entendu, maman, balbutia Dory.

Les épaules voûtées, elle s'avança, suivie d'Alex et de sa mère. Elle avait les larmes aux yeux.

– Ce que ça sent bon ! Tu as fait un gâteau ? Maman est la meilleure pâtissière du monde, expliqua-t-elle à Alex.

– Va chercher tes affaires, ordonna Elaine. Nous t'attendons dans la cuisine.

Alex aurait voulu accompagner Dory pour la dissuader de remplir une ribambelle de valises, ce qui les obligerait à faire des allers-retours entre l'appartement et la voiture. Mais il valait mieux ne pas s'opposer encore à Elaine.

Dans la cuisine, on avait dressé le couvert pour deux. Therese Ennis était assise à la table. Avec ses longs cheveux, sa frêle silhouette et sa robe de mousseline, elle ressemblait à quelque languide damoiselle du Moyen Âge. La jeune fille plissa le front.

– Qu'est-ce que vous faites là ? interrogea-t-elle d'un ton accusateur.

– Dory tenait à récupérer ses affaires, répondit Alex.

– Ah…

Du bout de la fourchette, Therese poussait sa viande d'un bord à l'autre de son assiette.

– Tu as dit que tu avais faim, remarqua Elaine. Ne joue pas avec la nourriture. Mange. Eh bien, enchaîna-t-elle en regardant Alex, je suppose que ce retournement de situation vous enchante.

– Ce n'est pas encore fini. J'espère que le procureur abandonnera les charges qui pèsent contre Dory.

– Pour que la meurtrière de ma fille échappe au châtiment ?

Alex leva les yeux au ciel.

– Dory, dépêche-toi ! cria-t-elle.

Elle s'assit sur une chaise, rongeant son frein. Therese ne cessait de lui jeter des coups d'œil furtifs

– Qu'y a-t-il ? s'impatienta Alex.

– Je me demandais si… Vous n'avez pas peur d'elle ? Vu ce qu'elle a fait ?

Alex soupira bruyamment pour dissimuler que l'adolescente avait touché un point sensible.

– J'essaie de l'aider à reprendre le cours de sa vie. Dory est ma sœur.

– Raison de plus.

– Ce ne sont pas vos oignons. D'accord ?

– Ne soyez pas si brusque avec elle, protesta Elaine. Therese est toujours la bienvenue chez nous, contrairement à d'autres. Et aujourd'hui, elle est mon invitée.

À cet instant, Alex entendit des roulettes de valise grincer sur les parquets. Dory apparut en haut des quelques marches menant à la cuisine. Alex se leva.

– Tu as tout ce qu'il te faut ?

Dory s'était figée en voyant Therese.

– Qu'est-ce qu'elle fout là ? Elle est assise à ma place.

– Therese déjeune avec moi, comme souvent le samedi. Pourquoi ? dit Elaine.

Les yeux de Dory s'embuèrent.

– C'est pas juste. C'est ma place !

– Tu n'as plus de place réservée dans cette maison. Tu l'as perdue quand tu as poignardé Lauren, dit amèrement Elaine.

Mais Dory ne l'écoutait pas. D'un bond, elle fut près de Therese qu'elle agrippa brutalement par les cheveux.

– Lève-toi de ma chaise, grogna-t-elle.

Therese, dont la tête avait basculé en arrière, poussa un cri de frayeur.

– Dory, lâche-la ! ordonna Alex. Tout de suite.

– Non, fit Dory, crispant ses doigts sur les épaisses boucles de la jeune fille. Lève-toi de ma chaise, Therese, ou je te jure que...

– Arrête ! hurla Therese.

Elaine s'empressa d'entourer l'adolescente d'un bras protecteur et darda sur Dory un regard menaçant.

– Lâche-la ou moi, je te jure que je te ferai renvoyer en prison si vite que tu n'auras pas le temps de dire ouf.

Cramoisie, Dory obéit.

– Tiens, la voilà, ta chaise ! glapit Therese qui se mit à l'abri derrière Elaine. Fiche-moi la paix !

– Ce n'est pas sa chaise, insista Elaine. Dory, sors de chez moi avant que j'appelle la police.

– Tu appellerais la police ?

– Je vais le faire. Je vais leur dire qu'une folle furieuse s'est introduite chez moi.

Dory ferma les yeux. Les larmes roulaient sur ses joues.

– Mais pourquoi… ? gémit-elle.

Alex décida de prendre les choses en main. Sans adresser un mot à Elaine ou Therese, elle prit Dory par le bras pour la forcer à monter les marches. Puis elle empoigna la valise à pois, et entraîna sa sœur hors de l'appartement.

Quand elles furent sur la route de Chichester, Alex lança un regard furieux à Dory.

– Qu'est-ce que tu as dans la tête ? Tu as agressé Therese, ta libération conditionnelle aurait pu être révoquée.

Dory était recroquevillée sur le siège du passager, les bras croisés sur sa poitrine. Elle pointa le menton d'un air de défi, muette.

– Je peux comprendre que ce soit pénible de voir quelqu'un occuper ta place à table. Mais entre

Lauren… morte et toi en prison, ta mère a presque tout perdu. Therese est peut-être une consolation pour elle.

– Elle pouvait m'avoir à ses côtés, maintenant. Mais pour qui est-ce qu'elle prépare à déjeuner, hein ? Therese. Ma mère a toujours traité Therese comme si c'était sa poupée. Elle l'a toujours dorlotée.

– Pourquoi ?

– Oh, sûrement qu'elle la plaint. Chris et Joy s'engueulent sans arrêt, répondit Dory avec dégoût.

– C'est dur pour un enfant.

– Ils se disputaient, tes parents ?

– Non, pas du tout. Ils s'entendaient très bien.

– Les miens non plus ne se disputent pas. Mon père file doux. Comme ça, c'est plus facile.

– Sans doute.

– Je ne sais pas pourquoi Chris et Joy ne divorcent pas. Il y a plein de gens qui divorcent.

– Ils préfèrent peut-être rester ensemble pour Therese.

– Non, je ne crois pas. Elle les a laissés tomber tous les deux.

– Qui ? demanda Alex, perdue.

– Joy. Elle a quitté Chris. Et Therese. C'est pour ça que ma mère plaignait cette gamine. Joy est partie, et puis elle est revenue.

– Elle est partie combien de temps ?

– Je ne me souviens pas. Peut-être six mois…

– Therese a dû en souffrir.

– Ah, tu ne vas pas t'y mettre ! grogna Dory.

Changeons de sujet, pensa Alex.

– Alors tu es contente d'avoir récupéré tes affaires ?

– Oui. J'ai hâte de mettre mes vêtements à moi.

Comme si les miens sentaient mauvais, songea Alex qui ravala une réplique cinglante. N'envenime pas la situation, oublie. Préservons la paix.

Mais à quel prix ? Et pour combien de temps ?

17

IL COMMENÇA À NEIGER VERS MINUIT, et cela continua jusqu'au matin. Quand Alex se réveilla et
regarda par la fenêtre, les rues étaient silencieuses,
les branches des arbres ployaient sous la neige, un
tapis blanc recouvrait les trottoirs et les allées. Elle
se pelotonna sous la couette, somnolente. C'était si
beau, dehors.

Brusquement, Dory apparut sur le seuil de la
chambre. Elle avait enfilé une doudoune sur sa chemise de nuit, elle frissonnait.

– Il n'y a plus de courant.

Effectivement, le radio-réveil s'était arrêté à quatre
heures. Alex appuya sur l'interrupteur de la lampe
de chevet, en vain.

– Flûte.

– Pas de chauffage non plus.

– Pas étonnant si l'électricité est coupée. Désolée.

Dory haussa les épaules.

– Tu n'y es pour rien. Ce n'est pas toi qui as fait
tomber la neige. Bon, je descends.

Et Dory s'éclipsa prestement. Alex se remit sous la

couette, savourant la chaleur du lit. Sitôt qu'elle en sortirait, ne pas geler sur pied serait un rude combat. Impossible de dire à quelle heure l'électricité serait rétablie. Une journée dans le froid et l'obscurité, avec Dory... le cauchemar.

Elle ferma les yeux, sentant poindre un début de migraine. Comme si cela ne suffisait pas, elle devait impérativement se laver les cheveux pour son rendez-vous du lendemain. Pas question de rencontrer Louis Orenstein avec une tête d'épouvantail.

Oh, arrête de te lamenter sur ton sort, se dit-elle. Après tout, peut-être que la panne touche aussi Boston.

Mieux valait essayer de se rendormir. Elle n'était pas loin de réussir quand une appétissante odeur lui chatouilla les narines.

Du bacon. Elle s'assit dans le lit, perplexe, et à cet instant entendit la voix de Dory :

– Petit-déjeuner ! Debout !

Alex se leva à contrecœur, fonça vers la penderie pour enfiler plusieurs couches de vêtements chauds et gagna la cuisine. Plantée devant la gazinière, Dory en parka, bottes et gants de laine, maniait la spatule. Le café infusait dans la cafetière à piston, sur un plat s'empilaient pancakes et tranches de bacon. Dory faisait frire des œufs.

– Ouah ! s'exclama Alex, admirative.

– Quand il neige, on a besoin d'ingurgiter des calories, déclara Dory, joviale.

– La gazinière fonctionne ?

– Comme tu peux voir.

– Génial. J'ai faim.

Alex prit des assiettes dans le placard. Elle les disposa sur la table.

– Je me disais qu'on serait mieux dans le salon devant la cheminée, fit remarquer Dory.

– Ah oui, rétorqua Alex, d'humeur conciliante. Excellente idée. Je vais allumer un bon feu.

– Il brûle déjà !

Les yeux d'Alex s'arrondirent.

– Eh bien... ouah !

– Quoi donc ? rétorqua Dory, soudain suspicieuse.

– Rien. C'est juste que... j'ai de la chance que tu sois là.

Un large sourire aux lèvres, Dory cassa un autre œuf dans la poêle.

La cheminée n'était malheureusement pas de taille à chauffer toute la pièce. À deux mètres du foyer, il faisait aussi froid que dehors. Mais Alex et Dory approchèrent les fauteuils du feu et, leur assiette sur les genoux, dévorèrent leur petit-déjeuner. Alex mangea deux fois plus qu'à l'ordinaire.

– J'ai l'impression que ça t'a plu, commenta Dory.

– Succulent ! Tu as été scoute ou quoi ?

– Mon père est du Colorado. La montagne. On allait quelquefois là-bas voir sa famille. On voyageait en voiture, et une année on a campé. Ma mère et Lauren ont détesté. Lauren avait toujours peur d'être mal coiffée ou de se casser un ongle. Mais moi, j'ai adoré. Papa m'a appris à faire du feu, tout ça.

Alex observait Dory qui racontait tranquillement une anecdote familiale. De nouveau, comme si souvent au cours des dernières semaines, elle s'interrogeait.

Est-ce que tu l'as tuée ?

Il paraissait inconcevable que cette svelte jeune femme, qui venait de préparer le petit-déjeuner, ait pu poignarder sa sœur.

Mais Alex n'osa pas lui poser carrément la question. Dory fronça les sourcils.

– Qu'est-ce que tu as ?

– Oh… rien. Je pensais simplement que ton expérience de campeuse nous est bien utile aujourd'hui.

Quand elles eurent terminé, Alex emporta le plateau dans la cuisine et prit des plaids dans le placard à linge. Elle en donna un à Dory qui, frissonnante, s'en enveloppa avec plaisir.

– Et toi, Alex, tu as déjà fait du camping ?

– Mes parents n'avaient pas une passion pour les activités de plein air. Ils préféraient les musées, les restaurants. La ville.

Dory hocha la tête, contemplant d'un air songeur la photo posée sur le manteau de la cheminée.

– Elle était comment, ma mère ? demanda-t-elle soudain.

– Elle était… merveilleuse. Très intelligente. Elle travaillait à mi-temps comme comptable. Mais je pense que, par-dessus tout, son rôle d'épouse et de mère la comblait. Elle riait beaucoup. On pouvait tout lui confier. Elle m'a toujours donné le sentiment d'être… appréciée. Aimée.

– Sympa…

– Je regrette que tu ne l'aies pas connue, dit sincèrement Alex.

– Bah… c'est comme ça.

Toutes deux restèrent un moment silencieuses.

– Tu comptes avoir des enfants un jour ? questionna Dory.

– Je l'espère. Mais je voudrais d'abord que ma carrière décolle. Et il faudrait aussi que je trouve l'homme idéal, avec qui fonder une famille. Et toi ?

– Je ne crois pas, répondit Dory, le regard fixé sur les flammes.

– Tu n'aimes pas les enfants ?

– Je ne crois pas que j'en aurai, c'est tout.

La discussion était close. Alex opina. Un frisson la parcourut.

– Bon sang, vivement que le courant soit rétabli. Je ne sais pas comment on va se débrouiller pour ne pas crever de froid.

Dory se mit debout.

– On va déblayer la neige, décréta-t-elle. Ça nous réchauffera.

Alex jeta un coup d'œil aux vitres blanches de givre.

– Tu veux sortir ?

– Quelle mauviette ! Allez, ça nous fera du bien.

Enfonçant dans la neige jusqu'aux mollets, elles traversèrent le jardin jusqu'à l'appentis où Alex réussit à dénicher deux pelles. Puis elles s'attelèrent au déblayage de l'allée.

Effectivement, elles ne tardèrent pas à se réchauffer. Alex avait une ampoule à la paume et le dos en compote, mais elle continuait à pelleter. Tout pour

173

ne pas rentrer dans la maison glaciale. Et puis… exécuter cette corvée en compagnie de Dory était étonnamment agréable. Comme si elles étaient vraiment sœurs.

Elle se redressa et s'appuya sur sa pelle.

– C'est marrant, dit-elle à Dory.

– On ne tire pas au flanc !

– À vos ordres, mon capitaine ! plaisanta Alex qui se remit illico au travail.

Elles avaient presque fini, quand Alex aperçut un homme chaudement emmitouflé qui venait dans leur direction. Entre son bonnet en laine et son écharpe brillaient des lunettes. Seth… Alex agita la main.

– On ne dégagera pas ton allée ! lui lança-t-elle quand il fut tout près. Inutile de nous le demander !

– Zut alors. Comment tu as deviné mes intentions ?

Dory lui sourit timidement.

– Bonjour, Seth.

– Bonjour, Dory. Vous avez abattu un sacré boulot, toutes les deux.

– Alex voulait se défiler, j'ai dû la forcer, rétorqua Dory.

– Et elle a eu raison. Il fait tellement froid dans la maison qu'il vaut mieux se remuer un peu. Tu as le courant, chez toi ?

– On l'a rétabli il y a dix minutes.

– Oh, super ! dit Alex.

Elle était presque déçue, pourtant. Cette matinée sans électricité l'avait rapprochée de Dory. Elle n'avait pas envie que cela s'achève.

174

– Attention ! s'écria soudain Dory.

Alex et Seth se retournèrent d'un même mouvement. Une boule de neige explosa sur l'épaule de Seth. Il décocha à Dory un regard qu'il voulait menaçant.

– Oh là là, vous allez vous attirer des ennuis, jeune fille.

Il se baissa vivement, ramassa une bonne poignée de neige qui gicla sur la parka de Dory. Elle riposta. Ils se bombardèrent ainsi un moment, puis Seth s'en prit à Alex dont il visa la manche. Elle s'empressa de lui rendre la monnaie de sa pièce.

– Hé, deux contre un, ce n'est pas loyal !

– Elle est pas dans mon camp ! dit Dory.

Sur quoi, elle ajusta son tir. Alex reçut la boule de neige en pleine figure.

– Ah, c'est comme ça ! protesta-t-elle – elle visa à son tour Dory, mais manqua sa cible.

– Oui, c'est comme ça ! répéta Dory d'un ton âpre et, de nouveau, elle toucha sa sœur au visage.

Alex s'essuya.

– Stop. Ça fait mal.

– Ben alors, t'as qu'à pas jouer !

L'atmosphère, soudain, tournait au vinaigre. Seth frappa ses gants l'un contre l'autre.

– Moi, je déclare forfait.

– Tu veux entrer boire quelque chose de chaud ? proposa Alex en époussetant son manteau.

– Hé, la partie est pas terminée ! cria Dory.

Cette fois, la boule de neige frappa Alex à la tempe.

– Arrête, Dory.

– Non !

Seth leva les bras.

– Halte ! Nous capitulons.

– Alex, tu es nulle à ce jeu !

– Mesdemoiselles, s'il vous plaît. J'ai dit à mon père que j'allais acheter de la soupe. Il y en aura assez pour nous tous. Je vous invite à déjeuner.

Alex hésita, jeta un regard oblique à Dory. Mais celle-ci planta rageusement sa pelle dans un amas de neige et se dirigea vers le perron.

– Une autre fois, peut-être, murmura Alex.

– Quelle mouche l'a piquée ?

– Je ne sais pas. Franchement.

– Alex, tu es sûre que l'héberger chez toi est une bonne idée ? Tu veux être bienveillante avec elle, lui accorder le bénéfice du doute, mais tu ignores qui elle est réellement.

– Ça ne durera sans doute pas longtemps, si le procureur décide d'abandonner les charges.

– Et s'il les maintient ? Tu pourrais en prendre pour un an ou plus.

– Si elle ne reste pas ici, elle retourne en prison. Je ne lui infligerai pas une chose pareille. Pas à cause d'une stupide bataille de boules de neige.

– La stupidité n'évite pas le danger, rétorqua Seth, la mine sombre.

Alex contempla la maison coiffée de blanc. Une belle maison accueillante.

– J'essaie d'être patiente. Nous avons simplement besoin de… de nous habituer l'une à l'autre.

– Qui cherches-tu à convaincre, Alex ? Moi ou toi ?

18

L E SIFFLET DE DÉPART RETENTISSAIT quand Alex sauta dans le train. Elle longea l'allée centrale du wagon et s'arrêta net, réprimant un sourire.

– Eh bien voilà, maintenant j'en suis sûre. Tu me suis.

Seth lui sourit, il semblait ravi de la voir.

– Que fais-tu dans ce train de bon matin ?

Alex s'assit, son bras effleura celui de Seth, et elle sentit l'air crépiter.

– Je pourrais te retourner la question, le taquina-t-elle.

– J'ai rendez-vous avec mon ancien maître de thèse. Je n'ai pas pu le voir jusqu'ici, je n'étais pas disponible. Maintenant que mon père va mieux et que Janet est de retour…

– Ta sœur est rentrée ?

– Oui, les gamins reprennent l'école. Du coup, elle est à portée d'arbalète si papa a besoin d'elle d'urgence. J'en profite pour boucler ce qui était en suspens. Ce soir, dîner de famille. Je vais offrir aux petits monstres leurs cadeaux de Noël. Mieux vaut tard que jamais.

Alex comprit immédiatement ce qu'impliquaient les paroles de Seth.

– Tu repars bientôt ? demanda-t-elle d'un ton désinvolte qui dissimulait mal son désappointement.

– À la fin de la semaine.

– Ah oui ?

– Oui, j'ai beaucoup à faire là-bas. Il faut que je m'y colle.

Elle hocha la tête, évita soigneusement son regard.

– Ton père te regrettera.

Elle prit son iPhone dans son sac et promena un doigt indolent sur l'écran.

– Et toi ? questionna-t-il.

– Moi, je n'ai pas le temps de regretter quoi que ce soit. Trop de pain sur la planche.

– Je voulais dire : que vas-tu faire en ville aujour-d'hui ?

Elle lui sourit de toutes ses dents, comme si elle se moquait éperdument d'avoir mal interprété sa question. Mais en réalité, elle avait une envie folle de changer de place, pour que Seth ne lise pas le désar-roi sur son visage.

– J'ai un deuxième entretien à la Galerie Orenstein. Je rêve de décrocher ce job.

– J'espère que tu l'auras. Si c'est ce que tu veux vraiment.

– Oui, répondit-elle, les yeux rivés sur son iPhone. C'est exactement ce que je veux.

Ils firent le reste du trajet en silence et se sépa-rèrent dans le train. Alex bondit de son siège sitôt qu'on annonça « Back Bay ! », et gratifia son compagnon de voyage d'un sourire amical.

– Eh bien, si je ne te revois pas, bon retour chez toi.

– Prends soin de toi, Alex.

Dans les yeux de Seth, elle crut discerner une ombre de tristesse. Mais non, tu te fais des idées. Il n'y avait rien eu entre eux, même si elle avait souhaité à maintes reprises qu'il se passe quelque chose. Résultat, elle avait l'impression, parfaitement injustifiée, qu'il l'abandonnait alors qu'elle était dans une situation difficile.

– Toi aussi, prends soin de toi.

Il ne te doit rien, se dit-elle en attendant que le train s'immobilise le long du quai. Il a juste été gentil avec toi.

Au bout de cinq minutes, Alex comprit que ce deuxième entretien n'était que pure formalité. Louis Orenstein lui expliqua ce que seraient ses obligations et laissa entendre que moins elle rechignerait à faire des heures supplémentaires, plus vite elle progresserait dans le monde de l'art. Puis il lui donna l'accolade et l'embrassa sur les deux joues, à la mode européenne.

– Bienvenue à la Galerie ! lui dit-il.

Alex se confondit en remerciements, signa le contrat de travail et accepta de commencer dès le lendemain. Lorsqu'elle se retrouva dans Newbury Street, elle flottait sur un nuage. *Je suis embauchée, je vais téléphoner à maman.*

Mais elle n'avait plus personne avec qui partager sa joie. Son cœur se serra. Quand elle arrivait à la maison avec de bonnes nouvelles, sa mère était si heureuse pour elle, si enthousiaste. *Il faudra que je me contente de mes souvenirs.*

Soudain, et cela la contraria, elle eut envie de le dire à Seth. Non, elle aurait l'air idiot. Une voisine qui appelait pour se vanter d'avoir décroché un job, quand il ne pensait qu'à se procurer un billet d'avion pour retourner à sa vie quotidienne. Non, non, elle ne l'appellerait pas.

Et Dory ? Des sœurs étaient censées partager bonheurs et chagrins. Mais elle ne parvenait pas à imaginer une Dory contente pour elle et en éprouva une certaine rancœur. Elle avait pourtant fait le maximum pour l'aider.

Sur le chemin de la gare, Alex traversa Boylton Street et passa devant les locaux de Justice Initiative. Elle hésita une seconde puis décida de dire bonjour à Marisol. Elle débusqua l'étudiante en droit dans son cagibi.

– Comment ça va ? lui demanda Marisol avec circonspection.

– Bien. Je vais très bien.

– Et toutes les deux, ça va ?

– Aussi bien que possible.

– Ah, je vois… Alors quel bon vent vous amène par chez nous ?

– Louis Orenstein, de la Galerie Orenstein, vient de m'engager comme assistante. Je l'aiderai à sélectionner les artistes qu'il expose. Je commence demain.

– Félicitations ! s'exclama Marisol. Je la connais, cette galerie. Un endroit fabuleux. Les œuvres qu'on y vend sont splendides, et malheureusement très au-dessus de mes moyens. Vous pouvez être fière de travailler là.

Alex lui sourit.

– Je le suis. Merci…

– C'est gentil d'être passée m'annoncer la nouvelle.

Alex décoda le message : Marisol était occupée et la priait d'aller droit au but.

– Savez-vous combien de temps il faudra au procureur pour prendre sa décision ?

– Oh, cela ne devrait pas tarder. En principe, pour ce genre de chose, ils ne traînent pas.

– Si les charges ne sont pas maintenues, qu'est-ce que cela signifie concrètement ?

– Que Dory est libre de vivre sa vie, sans restrictions, et que vous récupérez l'argent de la caution.

Alex hocha la tête.

– Vous nous préviendrez ?

– Immédiatement.

Alex regagna la gare et reprit le train pour Chichester. Le crépuscule tombait lorsqu'elle récupéra sa voiture et parcourut la courte distance qui la séparait de la maison. Elle regarda du coin de l'œil, plus bas dans la rue, le domicile du père de Seth. La maison était brillamment éclairée, plusieurs véhicules stationnaient dans l'allée.

Chez Alex, en revanche, la lanterne du perron n'était pas allumée. On n'attendait personne, visiblement. Home sweet home.

Elle grimpa les marches en soupirant. Elle ouvrait la porte quand des yeux furibonds, sauvages, étincelèrent dans la pénombre du vestibule. Des aboiements féroces lui vrillèrent les tympans.

Alex fit un bond, elle hurla. Le chien, tout en muscles, les crocs luisant de salive, en profita pour la forcer à reculer.

– Stop, Remus !

Dory avait surgi dans le vestibule et s'évertuait sans grand résultat à agripper le molosse par le collier.

– Stop, elle habite ici.

– Mais qu'est-ce que…, s'écria Alex.

Le chien semblait prêt à lui sauter à la gorge. Ses griffes crissaient sur le sol quand, enfin, Dory réussit à l'attraper et le tirer en arrière. Ses aboiements frénétiques résonnaient dans toute la maison.

– Remus, ça suffit ! Sois mignon.

– Éloigne ce chien de moi !

– OK, OK. Ne te mets pas dans des états pareils.

Dory chercha une friandise dans sa poche et l'agita devant la gueule du chien.

– Tu le récompenses ? s'indigna Alex. Il m'a attaquée !

– Je sais m'y prendre avec les chiens, riposta Dory, furieuse. Recule, Alex.

– Parce que c'est à moi de reculer ?

– Oui, et tu te tais.

Le chien perçut leur désaccord et se mit à gronder. Dory se pencha pour le regarder droit dans les yeux, en agitant toujours la friandise.

– On se calme. Oui, c'est pour toi…

Alléché par la récompense, le fauve s'apaisa peu à peu et cessa de s'époumoner. Dory lui donna ce qu'il convoitait, se redressa et se frotta les mains.

– Voilà, le problème est réglé.

– À qui est ce monstre ? D'où sort-il ?

– Il est à nous, déclara Dory, radieuse, en caressant la robe lustrée du dénommé Remus. Il est beau, hein ? Mon ancienne cliente, Regina, me l'a amené pendant que tu étais à Boston.

– Comment tu as pu adopter un chien sans me consulter ? Je t'avais dit que j'allais réfléchir.

– Réfléchir à quoi, puisque tu aimes les chiens ?

– Il est de quelle race ?

– Un genre de labrador, répondit Dory, évasive.

– Il n'est pas plus labrador que moi ! C'est un pitbull, oui !

– Un american staffordshire terrier, rectifia Dory. Et puis d'abord, qu'est-ce que tu as contre les pitbulls ? Ce sont des chiens formidables. Tout dépend de la façon dont on les élève.

– Ils sont dangereux, Dory.

– Tant mieux pour nous, si les gens en ont peur. Il nous faut un chien de garde. Si les journalistes reviennent fouiner par ici, Remus nous protégera.

– Et moi, qui me protégera de Remus ?

– Tu t'habitueras à lui, rétorqua Dory avec aplomb.

– Non, je refuse. Il s'en va. Immédiatement.

– Pardon ? articula Dory d'un ton glacial.

– Tu m'as très bien entendue. Tu as une cage pour lui ? On le met dedans et on le ramène à Regina.

– Impossible.

– Pourquoi ?

– Elle a… elle a dû partir. Elle ne reviendra pas avant plusieurs jours.

– Ben voyons.

– Tu penses que je mens ?

Elles se mesurèrent du regard. Remus émit un grognement sourd.

– Tu enfermes ce chien quelque part, hors de ma vue, ordonna Alex qui se dirigeait vers l'escalier. Il quittera cette maison dès le retour de Regina. La discussion est close.

Elle crut entendre sa sœur murmurer « salope » mais continua à monter les marches.

Couchée dans son lit, Alex contemplait le plafond. Elle ruminait. Aujourd'hui, c'était un grand jour. Elle avait obtenu le poste dont elle rêvait, elle aurait dû fêter ça, au lieu de quoi elle était claquemurée dans sa chambre, pendant que sa sœur, condamnée pour meurtre, patrouillait au rez-de-chaussée en compagnie d'un pitbull. Alex voulait bien admettre que les pitbulls n'étaient pas responsables de leur mauvaise réputation. N'importe quel amoureux des chiens savait qu'il fallait plutôt blâmer les propriétaires de ces animaux qui les rendaient agressifs. Mais cela ne signifiait pas que Remus n'était pas un danger public. Elles ne le connaissaient pas. Et Dory avait un sacré culot ! Décider seule d'adopter ce molosse, sans même demander son avis à Alex !

Elle poussa un soupir à fendre l'âme. Regarde les choses en face, se dit-elle. Dory, avec ses sautes d'humeur, t'impose sa volonté.

Oui, mais tu ne lui as pas vraiment accordé sa chance. Arrête d'être si négative. Dory a subi tant d'épreuves. Elle a toujours souhaité avoir un chien et, maintenant, cela devient possible pour elle. Est-ce si terrible ? De toute manière, tu envisageais d'en adopter un.

Alex se tourna à plat ventre. Tu es mal lunée à cause du départ de Seth, sois honnête. Ils ne se reverraient pas avant longtemps. En fait, il n'y aurait jamais rien entre eux. Peut-être aurait-elle mieux réagi si elle n'avait pas, auparavant, appris que Seth s'en allait.

Demain, songea-t-elle en bâillant, on essaiera d'en rediscuter. D'arriver à un compromis. Au fond tu n'es qu'une enfant gâtée trop habituée à n'en faire qu'à sa tête, les choix des autres te dérangent.

Tout en se chapitrant et se répétant qu'elle n'avait pas à se plaindre, elle sombra dans un profond sommeil. Et elle rêva. Elle marchait dans une rue sombre, quand soudain des créatures menaçantes surgissaient derrière elle. Elle feignait d'ignorer leur présence. Mais elles se rapprochaient, Alex entendait leur respiration. Quelque chose de froid touchait sa figure…

Elle se réveilla en sursaut. Remus était là, langue pendante, à quelques centimètres. Un rayon de lune se reflétait sur ses crocs. Dory le tenait en laisse. Habillée de noir, les cheveux en bataille, elle scrutait Alex d'un regard froid, vide.

Le cœur d'Alex se mit à cogner.

– Mon Dieu ! gémit-elle.

Remus gronda.

– Au pied, ordonna Dory.

– Mais qu'est-ce que tu fais là ? balbutia Alex.

– On a entendu un bruit qui venait de ta chambre. On a voulu voir si tu allais bien.

Les yeux de Dory luisaient d'un étrange éclat. Alex se demanda, ce fut plus fort qu'elle, si c'était l'image de ces yeux-là que Lauren avait emportée dans la tombe. Elle se mit à trembler.

– Qu'est-ce que tu as ? questionna Dory.

– Rien.

– Tu as l'air effrayé.

– Fais sortir ce chien, s'il te plaît, murmura Alex.

Dory la dévisagea. Et si elle refusait ?

– Viens, Remus.

– Je suis désolée, Dory. Merci de… de te soucier de moi.

Mais sa sœur et le chien étaient déjà sortis de la pièce.

19

L E LENDEMAIN MATIN, au moment de s'en aller, Alex cria à Dory, qui n'était pas encore descendue prendre son petit-déjeuner, qu'elle partait travailler.

Silence.

– Dory ! Tu me réponds ?

– Ouais, je t'ai entendue !

Alex fut plutôt soulagée que sa sœur ne se montre pas. Elle ferma la porte et, comme elle était en avance, décida de se rendre à pied à la gare. Incapable de se rendormir après la visite impromptue de Dory et Remus, elle s'était levée pour repasser ses vêtements – un élégant tailleur noir, petite veste ajustée et jupe courte à plis plats. Puis elle avait ciré ses bottes et s'était préparé un petit-déjeuner substantiel. Cela ne remplaçait pas une bonne nuit de sommeil, mais c'était mieux que de rester couchée à compter en vain les moutons.

À présent, elle marchait dans l'air froid du matin, resserrant autour d'elle les pans de son manteau de laine et évitant les plaques de neige, de crainte d'abîmer ses bottes à hauts talons.

À la gare, elle n'eut pas à attendre longtemps le train de Boston. Elle s'installa près d'une fenêtre pour admirer le paysage hivernal, ce qui lui permit de se préparer mentalement à paraître intelligente et compétente.

Les heures filèrent à la vitesse de l'éclair. Elle participa à l'entretien téléphonique que Louis Orenstein eut avec deux sculpteurs et un peintre. Ensuite, il la chargea de se documenter sur divers musées et galeries, et de lui faire ses commentaires. Chaque fois qu'elle levait le nez et voyait autour d'elle les superbes toiles et sculptures exposées dans la vaste salle inondée de lumière, elle se sentait heureuse. Quelle chance de travailler ici !

Vers dix-huit heures, elle achevait d'imprimer une liste de prix lorsqu'une robuste jeune femme mal attifée et mal coiffée entra.

Alex lui adressa un large sourire.

– Marisol !

– Bonjour, chuchota l'étudiante en droit.

– Je suis contente de vous voir. Vous pouvez parler normalement, vous savez.

Marisol, mal à l'aise, eut une moue charmante.

– J'ai l'impression d'être dans le temple de l'art.

– Ce n'est jamais qu'une espèce de magasin, répondit Alex avec une désinvolture qu'elle était loin d'éprouver – les œuvres qui les entouraient l'intimidaient, elle aussi. Qu'est-ce qui vous amène, Marisol ?

– Vous connaissez la nouvelle… je voulais avoir votre avis.

– Quelle nouvelle ?

– J'ai prévenu Dory tout à l'heure. Je pensais qu'elle vous téléphonerait.

– À quel sujet?

– Le procureur a décidé d'abandonner les charges.

– Vraiment? s'exclama Alex.

– Oui, c'est fini, dit Marisol avec un grand sourire.

Alex s'appuya contre le mur.

– Ouf... Quel soulagement.

– Dory m'a paru contente. Je croyais qu'elle vous avertirait.

Aucune importance, songea Alex. Cela signifie que je ne suis plus obligée de l'héberger. Mais elle garda cette réflexion pour soi.

– Je l'appellerai. Oh merci, Marisol. Vous allez devenir une formidable avocate. Si jamais j'ai un pépin, je saurai à qui m'adresser.

– Attendez, pour vous mettre dans la panade, que je sois inscrite au barreau.

– Comment pourrai-je vous remercier?

– Je suis heureuse que ça ait marché, dit Marisol d'un air modeste. Ça me suffit. Maintenant, je vous laisse. Bonne chance.

Alex l'embrassa, la regarda s'éloigner. Puis elle appela Dory sur son portable. La sonnerie retentit plusieurs fois avant que sa sœur ne décroche.

– Allô?

Alex entendait à peine sa voix, tant il y avait de bruit sur la ligne.

– Dory, c'est Alex. Marisol vient de passer à la galerie.

– Ah! Elle t'a dit?

189

– Oui, les charges sont abandonnées. Tu es libre.

– Ouais, je suis libre.

– Tu es contente ?

Alex ne comprit pas la réponse de Dory.

– Mais c'est quoi, tout ce bruit ? Je t'entends à peine.

– On fête ça. Je suis chez ma mère.

– Ta mère a organisé une fête ? interrogea Alex, médusée.

– En fait, c'est mon père. Il a voulu qu'on arrose ça.

Avait-on demandé à Elaine son avis sur ce petit raout ? Alex en doutait fort. Elle espérait néanmoins que la décision du procureur inciterait Elaine à assouplir sa position. Dory avait tant besoin de l'approbation de sa mère, ou de son pardon – bref, de ce qui manquait entre elles.

– Quoi ? demanda Dory à quelqu'un qui lui parlait. Ah ouais… Si tu veux, tu peux venir.

Tu parles d'une invitation, pensa Alex. Elle allait pourtant l'accepter. L'événement était à marquer d'une pierre blanche, d'autant qu'il mettait un terme à ses obligations : officiellement, elle n'était plus responsable de sa sœur. Elle se remémora l'incident de la nuit, lorsqu'elle avait découvert Dory et le molosse près de son lit. Elle en frémissait encore.

Ce serait bientôt fini.

– Avec plaisir, dit-elle.

Alex se rendit à pied dans le South End. Elle constata avec satisfaction que la neige avait fondu en grande partie ; ce qu'il en restait était tassé sur la

190

chaussée par la circulation automobile. Ses bottes à talons n'étaient plus un handicap.

Elle sonna à la porte des Colson. Garth ouvrit presque aussitôt, une bouteille de champagne à la main. Il paraissait plus léger et rajeuni de dix ans.

– Entrez donc, Alex ! Venez vous joindre à notre petite fête improvisée. Dory n'aura pas à subir un second procès, le procureur n'a pas maintenu les charges. Mais j'imagine que vous êtes au courant.

– Oui. Quelle bonne nouvelle, n'est-ce pas !

– Débarrassez-vous de votre manteau. Vous savez où on suspend les manteaux dans cette maison, ajouta-t-il avec un petit sourire.

– Effectivement.

Alex suspendit son vêtement en laine, tira sur sa veste, lissa sa jupe, et suivit son hôte dans la salle de séjour.

Le spectacle qu'elle y découvrit la stupéfia. Dory était assise sur le canapé, près d'une Elaine figée, visiblement mécontente.

Et à la droite de Dory se trouvait Seth. Il avait l'air mal à l'aise. Alex soutint un bref instant son regard avant de détourner les yeux. La famille Ennis au complet – Chris, Therese et Joy – complétait le tableau.

– Salut, Alex, dit Dory.

Puisant dans ses réserves de bienveillance, Alex se pencha pour embrasser sa sœur.

– Félicitations. Je suis très heureuse pour toi.

Elle s'abstint délibérément d'adresser la parole à Seth. Il était si proche qu'elle sentait son odeur, familière et troublante.

– Je te remercie, dit Dory en lui prenant la main. Sincèrement. Tout ça, c'est à toi que je le dois.

– Ne me remercie pas. Je suis contente que ça ait marché, voilà tout.

– Et moi, je suis contente d'avoir une sœur, dit Dory avec une chaleur inhabituelle.

Le visage d'Elaine se crispa de dégoût. Elle se pencha en avant, pour s'écarter de Dory dont le bras frôlait le sien.

– Moi aussi, murmura Alex.

Garth lui offrit une coupe de champagne. Alex but une gorgée.

– Alors Dory, dit Joy, qui n'avait pas ôté sa tenue de travail, froissée, mais portait aux pieds des chaussons d'intérieur. Que vas-tu faire, maintenant ?

Dory haussa les épaules.

– Ben… reprendre ma vie d'avant. Contacter mes anciens clients. Et peut-être faire de nouvelles rencontres.

Elle lança un regard appuyé à Seth qui grimaça un sourire et s'empressa de détourner les yeux.

– Tu continueras à habiter chez Alex ? demanda Chris Ennis.

– Je n'en sais rien. Si je veux retrouver ma clientèle, il me faudra vivre ici. D'ailleurs, Alex en a sans doute assez de moi.

Tous les regards se braquèrent sur Alex qui eut l'impression d'être poussée dans ses retranchements. Oui, elle en avait assez ! Jamais, cependant, elle ne l'avouerait devant ces gens. En réalité, à voir la façon dont Elaine se comportait, elle sentait se ranimer sa compassion pour Dory.

À cet instant, la sonnette retentit.

– Qui c'est ? s'étonna Garth. Tu as invité quelqu'un d'autre ? dit-il aimablement à Dory.

Celle-ci fit non de la tête.

Garth se dirigea vers le vestibule. Therese, installée sur une chaise près de sa mère, lui chuchota quelques mots à l'oreille. Joy acquiesça et tapota le genou osseux de sa fille.

– D'accord, dit-elle avec un sourire qui retroussa le coin de sa bouche ponctué d'un grain de beauté. On s'en va dans quelques minutes.

Seth pria Dory de l'excuser, se leva du canapé et s'approcha d'Alex. Elle le regarda froidement, se refusant à énoncer la question qui s'imposait. Mais Seth n'attendit pas qu'elle l'interroge.

– Cet après-midi, j'ai vu ta voiture dans ton allée. Je me suis arrêté, je voulais savoir comment s'était déroulé ton entretien à la galerie, expliqua-t-il à voix basse. Dory m'a dit que tu étais embauchée et que tu avais commencé ce matin. Pourquoi tu ne m'as pas téléphoné ?

Alex avait failli l'appeler, avant de se persuader qu'elle aurait l'air de lui courir après.

– Je n'y ai pas pensé, mentit-elle.

– Comment s'est passée ta première journée ?

– Très bien. Je crois que ce job va me plaire. Et toi, cet après-midi, tu as tenu compagnie à Dory ?

– Je ne lui ai pas « tenu compagnie », non. Nous avons bavardé un petit moment. J'étais encore chez toi lorsqu'on l'a prévenue. Elle était surexcitée, naturellement. Elle a voulu l'annoncer en personne à ses parents et elle m'a demandé de la conduire chez eux.

– Tu n'as pas à te justifier, dit Alex, feignant l'indifférence.

– Si, si… J'ai remarqué ton expression, quand tu m'as vu ici.

– Je reconnais que j'ai été surprise.

– Le chien de Dory a failli me bouffer, figure-toi.

Alex opina, la mine sombre.

– Remus. Ce n'est pas un cadeau, celui-là.

– J'imagine ta joie, hier, quand tu as été accueillie chez toi par cette créature hurlante.

– L'horreur, répondit Alex qui sourit et ne put résister à la tentation d'ajouter : et je ne te parle même pas du chien.

Seth éclata de rire. Dory se retourna.

– Qu'est-ce qu'il y a de si drôle ? demanda-t-elle.

– Rien, répondit Alex.

Seth se ressaisit, agita la main pour signifier à Dory que ça ne la concernait pas.

– Elle est désormais libre de déménager, chuchota-t-il à Alex. Tu es soulagée ?

– Entre nous, oui.

Seth lui entoura la taille de son bras et, doucement, l'attira contre lui. Alex savoura une seconde cette étreinte, puis s'écarta. Dory leur lança de nouveau un regard vif, dur.

À ce moment, Garth reparut, flanqué de deux types, un Noir et un Blanc, en costume et imperméable. L'air grave, tous trois descendirent les quelques marches menant au séjour où le silence se fit.

– Euh… nous avons de la visite, mes amis. Voici l'inspecteur Spagnola et l'inspecteur Langford.

– La police, encore ? dit Chris. Franchement, il y a de l'abus !

Therese se blottit contre sa mère. Alex, elle, ravala une exclamation. Quelle autre tuile va nous tomber sur la tête ?

– Qu'est-ce qu'il y a ? questionna Dory, braquant des yeux inquiets sur les policiers. Pourquoi vous êtes là ?

– C'est moi qui les ai appelés, déclara Elaine. Je leur ai demandé de venir.

20

DORY SE LEVA D'UN BOND et dévisagea sa mère qui paraissait très satisfaite d'elle-même.

– Tu les as appelés ? Mais pourquoi ? C'est terminé, maintenant.

Les yeux d'Elaine étincelaient.

– Terminé ? Pas pour moi. Au cas où tu l'aurais oublié, ta sœur Lauren a été assassinée. Les charges qui pesaient contre toi sont abandonnées, mais cela ne signifie pas que l'affaire soit classée. Qu'est-il arrivé à ma petite fille ? J'exige des réponses. Si tu n'as pas tué Lauren, qui l'a fait ?

– Tu ne pouvais pas laisser Dory profiter de cette journée ? lui reprocha Garth.

– Je pensais que toi, au moins, tu comprendrais, riposta Elaine.

– Vous avez eu raison de nous contacter, dit l'inspecteur Spagnola. Nous rouvrons officiellement l'enquête. Nous avons étudié le dossier et nous souhaitons réinterroger toutes les personnes qui ont témoigné il y a trois ans.

Chris Ennis se redressa brusquement.

– Eh bien, je suppose que la fête est finie. Il vaut

mieux remonter chez nous, dit-il à Joy et Therese qui se mirent debout.

– Vous habitez l'immeuble ? lui demanda l'inspecteur Langford.

– Oui... avec ma femme et ma fille.

– Et vous vous appelez...

– Christopher Ennis. Voici Joy, mon épouse. Et Therese.

L'inspecteur Langford consulta son carnet.

– Monsieur Ennis... vous viviez dans cet immeuble au moment du meurtre de Lauren Colson.

– Parfaitement. Mais nous avons déjà répondu à ces questions. À l'époque. Nous n'avons rien de nouveau à vous apprendre. Aucun de nous n'était à la maison à l'heure du crime.

– Pourquoi ne pas vous rasseoir un instant ? suggéra l'inspecteur Langford.

Therese se tourna vers sa mère.

– Il faut qu'on reste ? Pourquoi ?

– Écoutez, déclara l'inspecteur. De toute évidence, certaines erreurs ont été commises lors du premier interrogatoire des témoins et des suspects. Nous sommes obligés d'interroger à nouveau les amis, les membres de la famille, et quiconque se trouvait dans l'immeuble ou y avait accès.

Il se tourna vers Alex.

– Et vous, madame ?

– Pardon ?

– Votre nom ?

– Alex Woods.

– Vous êtes une amie de la victime ? À moins que vous fassiez partie de la famille ?

Alex opta pour une version abrégée de l'histoire.

198

– J'ai rencontré les Colson voici quelques semaines. Je ne connaissais pas Lauren Colson.

– Moi non plus, renchérit Seth. Je m'appelle Seth Paige. J'ai seulement amené Dory chez ses parents.

Dory lui décocha un regard noir.

– Merci beaucoup, Seth. Alors, on n'est même pas des amis ?

– Ce n'est pas ce que j'ai voulu dire. Je répondais à la question de ce monsieur.

L'inspecteur consulta de nouveau son carnet.

– Mademoiselle Woods, monsieur Paige… vous pouvez partir.

– Je vous remercie, dit Seth qui se tourna vers Alex, pour l'inviter à le suivre.

Alex observait Dory.

– Je suis navrée que ça arrive aujourd'hui.

– Lauren…, marmonna Dory en secouant la tête. On croirait qu'elle est encore là.

– Tu restes avec tes parents ou tu reviens chez moi ce soir ?

– J'en sais rien, dit Dory, agacée.

– Si tu veux, je te rapporterai tes affaires demain. Mais il faudra venir chercher le chien.

Dory la dévisagea, secoua de nouveau la tête.

– Tu m'as raconté que tu aimais les animaux. Quelle blague ! Tu es trop égoïste. En fait, t'en as sans doute jamais eu.

– Dory, la rabroua Garth. Un chien ? D'où sort-il ?

– Regina Magill, mon ancienne cliente. Elle me l'a amené là-bas.

– Ne vous inquiétez pas, Alex, nous demanderons à Regina de vous en débarrasser.

199

– Pour mon chien, c'est moi qui décide, riposta Dory.

– Parfait, articula Alex d'un ton sévère. J'attends de tes nouvelles.

– Je te raccompagne ? proposa Seth quand ils furent dans la rue. Je suis garé à une centaine de mètres.

Alex n'hésita qu'une seconde.

– D'accord.

Dans la voiture, il alluma aussitôt le chauffage, ce dont elle lui fut reconnaissante. Elle tremblait comme une feuille. Elle ferma les yeux et renversa la tête en arrière, épuisée par sa nuit blanche et les péripéties de la journée. Elle s'endormit immédiatement et ne se réveilla qu'au moment où il stoppa devant chez elle.

– Désolée… je n'ai pas été très loquace.

– Aucune importance. Tu es fatiguée.

– Tu n'as pas tort. Eh bien… merci, dit-elle en ouvrant la portière.

– Il vaudrait mieux que j'entre avec toi.

– Pourquoi ?

– Remus risque d'être de mauvais poil.

Comme si le molosse avait entendu, il se mit à aboyer.

– Qu'est-ce que tu vas pouvoir faire ? demanda Alex, sceptique.

– Je suis l'homme qui murmure à l'oreille des chiens.

– Mais bien sûr.

– Attends de me voir à l'œuvre.

Alex refusa de l'avouer, mais elle était soulagée qu'il l'escorte. Ils montèrent les marches du perron, elle déverrouilla la porte et laissa Seth passer le premier. Remus hurlait comme un forcené.

Seth se mit à lui parler à voix basse, penché vers lui. En un clin d'œil, le chien fut calmé.

– Et voilà le travail. Alors, qu'est-ce que j'avais dit?

– Tu avais raison, bravo. Tu as un moment? Je t'offre un verre?

– Je ne resterai pas longtemps. Je dois faire mes bagages.

Alex haussa les épaules.

– Une bière?

Seth acquiesça et la suivit dans la cuisine. Remus, ses griffes cliquetant sur le sol, fermait le cortège. Alex sortit deux bières du réfrigérateur, invita Seth à s'asseoir à la table.

– Charmante, cette petite fête chez les Colson, n'est-ce pas? dit-il.

Elle ne put s'empêcher de rire.

– Un cauchemar. Pauvre Dory.

– Elle le cherche.

– Peut-être… Elaine ne lui accordera aucun répit.

– Il y a donc pire que de perdre sa mère.

– Humm…

Ils trinquèrent et restèrent un moment silencieux, mélancoliques.

– Alors, tu pars vendredi? demanda Alex.

– Non, ce soir.

– Ah bon?

– Oui, je pars en voiture. Le voyage sera plus long. Je compte rouler cinq ou six heures cette nuit.

Je m'arrêterai pour dormir un peu, et je me remettrai en route demain matin.

– Tu es pressé de t'en aller.

– J'ai surtout hâte de revenir.

Alex le regarda, le front plissé.

– Ah oui ?

– Je retourne là-bas pour donner ma démission. Et je prends le SUV pour rapporter mes affaires.

Alex sentit son cœur bondir dans sa poitrine.

– Comment ça ? Tu reviens t'installer ici ?

– Oui… L'hospitalisation de mon père m'a ouvert les yeux. Je l'adore, ce vieux fou, et je vois bien que sa santé est chancelante. J'ai déjà perdu ma mère. Bavarder avec toi m'a permis de comprendre que je l'avais encore, lui, que c'était une chance. Et puis, il y a Janet et les enfants. Ma famille. J'ai envie d'être avec eux. Je suis fatigué de vivre si loin.

– Alors, tu quittes ton poste pour habiter chez ton père ?

– À t'entendre, on pourrait croire que je suis un glandeur, plaisanta-t-il.

Alex piqua un fard.

– Tu te rappelles l'autre jour dans le train ? Je t'ai dit que je déjeunais avec mon ancien maître de thèse. Depuis plusieurs années, il essaie de me convaincre d'enseigner dans son département, à l'université. Cette fois, j'ai accepté. Il m'a semblé plus sage de profiter des vacances de fin de semestre pour faire le grand saut, avant la reprise des cours.

– Tu vas vraiment t'installer ici ?

– Eh oui.

Il se tut un instant.

– Qu'en penses-tu, Alex ?

Elle n'osa pas le regarder dans les yeux.

– Je suis... ravie.

– Tant mieux. (Il sourit et posa sa main sur la table, paume ouverte.) Parce que, si je souhaite rentrer au bercail, ce n'est pas uniquement pour ma famille.

Il y avait tant de douceur dans son regard que, timidement, Alex nicha sa main dans la sienne. Il lui sembla que des flammes couraient sous sa peau.

– Ah bon ? bredouilla-t-elle.

– Oui.

Ils se turent encore, incapables d'articuler un traître mot. Puis Seth se leva.

– J'aimerais bien poursuivre cette passionnante conversation, mais j'ai un long trajet qui m'attend.

Le sourire aux lèvres, elle le raccompagna jusqu'à la porte.

– Je suis si heureuse que tu reviennes.

Seth se pencha, comme le jour de Noël, mais cette fois il l'embrassa sur la bouche. Elle en fut si étonnée qu'elle laissa échapper une exclamation. Il y avait sur les lèvres de Seth une question à laquelle elle s'empressa de répondre en se serrant contre lui.

Elle aurait pu rester dans ses bras toute la nuit, à se délecter de leur étreinte, de ce rêve devenu réalité, mais brusquement Remus aboya. La porte s'ouvrit. Alex et Seth, enlacés, ivres de baisers, se retournèrent.

Dory était là devant eux.

– Eh ben, quelle surprise !

Alex s'écarta de Seth, tira sur l'ourlet de sa veste.

– Oh... salut.

– Ne vous dérangez pas pour moi, dit Dory. Je suis

juste passée récupérer mes affaires. Comme tu me l'as demandé, Alex.

Elle monta l'escalier d'un pas lourd.

– Je me sauve, ça vaut mieux, chuchota Seth.

Ils s'embrassèrent encore, furtivement.

– Bon voyage. Sois prudent sur la route. Et reviens vite.

– Au revoir, Dory ! lança-t-il.

Elle ne répondit pas. Alex reconnut, dehors, le pick-up noir de Garth Colson. Sans être sûre que c'était lui qui était au volant.

Seth lui vola un dernier baiser et se dirigea au pas de course vers sa voiture. Elle lui fit au revoir de la main, rentra dans le vestibule. Dory descendait l'escalier tant bien que mal, chargée de sa valise à pois et de deux sacs en tissu.

– Je ne peux pas emmener le chien, dit-elle d'un ton abrupt. Maman ne veut pas. Il te faudra le garder jusqu'au retour de Regina.

– Tu n'es pas obligée de partir d'ici, Dory. Tu peux rester.

Ces mots avaient jailli d'eux-mêmes. Alex avait le cœur en fête, elle n'en voulait plus à Dory. Au contraire, elle se sentait encline à être généreuse envers sa sœur, malgré son caractère difficile.

– Oh, ne t'inquiète pas pour moi. Je veux m'en aller. Je n'avais pas flairé ce que tu mijotais.

Alex eut un haut-le-corps.

– C'est-à-dire ?

– Tu m'as dit que tu n'avais pas de copain. Mais, visiblement, tu en as un.

– Non, je ne t'ai pas menti. Nous ne… c'est tout nouveau.

– Peut-être parce que tu t'es rendu compte qu'il se rapprochait de moi. Tu ne voulais pas de ça, pas vrai ? Qu'il m'aime bien. J'étais foutue d'avance, je suppose.

– Dory, soupira Alex, tu te trompes complètement.

– Épargne-moi tes boniments. J'ai des yeux, j'y vois clair.

Sur quoi, Dory traîna ses bagages jusqu'à la porte.

– Tu as besoin d'un coup de main ?

– Non, je veux rien de toi !

– Dory, s'il te plaît…

Mais Alex parlait dans le vide. Dory était déjà au bas du perron et disparaissait dans l'obscurité.

21

ALEX DÎNA D'UN CROQUE-MONSIEUR puis se prélassa dans un bain moussant. Son cœur éclatait de joie. Seth... Depuis cette première soirée chez les Thompson, elle était sous le charme. Elle résistait pourtant, se répétait qu'il habitait à Chicago, qu'il devait avoir quelqu'un dans sa vie, qu'il était son aîné de six ans et la considérait sans doute toujours comme une gamine du quartier. Mais chaque fois qu'ils se rencontraient, elle en avait le souffle coupé. Dire qu'il éprouvait la même chose...

Non, elle ne rêvait pas. Il revenait vivre ici. Leur histoire allait commencer. Cela n'arrivait pas souvent dans une existence : tomber amoureux, en être chaviré.

Elle se sécha, enfila un ample T-shirt et un peignoir, regagna sa chambre en dansant, en s'entourant de ses bras. Pour la première fois depuis l'accident, depuis son retour dans cette maison, elle était heureuse. Pleine d'espoir. Vivante. Et ses parents se réjouissaient pour elle, elle en avait la certitude. Elle sentait leur tendresse, comme une chaude lumière qui la nimbait. Même si c'était impossible, elle était persuadée qu'ils avaient œuvré à son bonheur.

– Merci, murmura-t-elle dans le silence de la maison, ce silence qui n'était plus déprimant, mais très doux. Merci d'avoir mis Seth sur mon chemin.

Elle descendit au salon et essaya de lire, pour se calmer. En vain. Elle pensa un instant à Dory. Elle ne pouvait s'empêcher d'éprouver de la culpabilité parce que Dory était persuadée qu'elle lui avait menti au sujet de Seth. Elle refuserait de croire que, jusqu'à ce soir, il n'y avait rien entre eux.

Mais je n'ai pas à la convaincre, se reprit-elle. Seth s'était simplement montré gentil avec Dory. Celle-ci était-elle capable d'admettre qu'un homme pouvait être attentionné sans avoir forcément envie de la séduire ? Alex en doutait.

Elle pensa aussi à Elaine, qui avait demandé aux inspecteurs de débarquer au moment même où l'on buvait le champagne en l'honneur de Dory. Comme si elle ne supportait pas l'idée que sa fille soit innocente. Comme si elle n'avait qu'un seul but : rabaisser Dory, lui rappeler sans cesse qu'elle n'était pas digne de sa confiance. Dory qui, elle, désirait par-dessus tout rentrer dans les bonnes grâces de sa mère.

Je suis peut-être injuste envers Elaine, se dit Alex. On avait assassiné sa fille, sous son propre toit, et Dory avait avoué le meurtre. Elaine l'avait crue coupable, comment le lui reprocher ? Maintenant il n'y avait plus de coupable, mais Lauren était toujours morte. Cette douleur ne s'effacerait jamais, Elaine ne serait pas en paix avant de savoir qui avait tué son enfant.

La question se posait : qui était l'assassin de Lauren ? Le champ d'investigation des policiers n'était peut-être pas assez large. Ils se focalisaient apparemment sur Boston, mais Lauren vivait ailleurs, très loin, à Branson dans le Missouri. Peut-être que quelqu'un, là-bas, lui voulait du mal ? À moins qu'elle ait été victime d'un fan complètement fou. Les histoires de ce genre ne manquaient pas. Il n'était pas impossible qu'une personne appartenant à son autre vie l'ait filée jusqu'à Boston.

Penser à Lauren lui remit tout à coup en mémoire le CD que Seth lui avait acheté. De crainte que Dory ne tombe dessus, Alex l'avait caché au fond d'un tiroir, dans la salle à manger.

Elle alla le chercher, le glissa dans le lecteur, et s'installa confortablement pour écouter. Dans la première chanson, il était question d'un biker dans un bar. Au bout de quelques mesures, Alex passa à la deuxième, dont le titre était aussi celui de l'album : *N'aimer que toi*. Accompagnée par un violon électrique, Lauren chantait d'une voix déchirante. Alex prit le livret joint au CD pour lire les paroles.

Personne ne me connaît ni ne me comprend
Personne n'imagine que j'en ai assez
Personne n'est proche de moi ni ne peut l'être
Personne ne veut savoir combien c'est dur.
Ma mère me dit d'aller plus loin encore
Pour ne pas rater ma chance
Sinon je finirai dans la misère.
Et moi je dis : oui, mais à quel prix ?
J'ai perdu ma passion et ma jeunesse,

Il ne me reste que la solitude,
Et la vérité, là devant moi.
Je suis condamnée à n'aimer que toi.

A priori, Alex détestait la musique country, trop sentimentale, parfois mièvre. Mais il arrivait qu'une chanson la touche par sa sincérité.

Elle écouta plusieurs fois *N'aimer que toi*.

Bien sûr, cette chanteuse ne lui étant pas totalement étrangère, elle était tentée de penser que ce texte était autobiographique. D'autant plus que la mère qu'évoquait Lauren, exigeante et difficile à satisfaire, ressemblait fort à Elaine.

Alex supposait depuis le début que Lauren avait été comblée d'amour et d'attention, au contraire de Dory, livrée à elle-même. Mais à la réflexion, même si elle traitait ses filles différemment, Elaine était ce qu'elle était. L'adoration qu'elle vouait à Lauren l'avait peut-être poussée à l'aiguillonner sans répit, à toujours juger les résultats insuffisants. Lauren avait dû se sentir bien seule.

Elle avait aussi eu un chagrin d'amour, de toute évidence. Une histoire qui avait mal tourné, avec une personne de Branson ? Les policiers s'étaient-ils intéressés à la vie intime de Lauren, là-bas dans le Missouri ? Probablement pas, puisqu'ils avaient sous la main la suspecte idéale : Dory.

L'espace d'un instant, Alex éprouva physiquement la douleur de sa sœur. C'était si pathétique. Elle regarda Remus qui ronflait tranquillement dans le panier acheté par Dory.

– On ne peut pas l'abandonner, Remus. Il faut essayer de l'aider.

Elle le pensait sincèrement, ce dont elle fut la première surprise. Elles étaient du même sang, Alex ne la laisserait pas tomber, même si Dory lui avait imposé le pire chien qui soit.

– Je te parle, espèce de monstre.

Il devait rêver car il couina et, soudain, se cacha les yeux avec la patte.

Alex éclata de rire. Tout lui paraissait charmant, subitement. Même le pitbull. Elle alluma la télé, regarda les images sans les voir, éteignit le poste. Où était Seth, à présent ? Elle ne savait pas quel itinéraire il avait choisi. Il roulait vers l'ouest. Elle faillit lui téléphoner, y renonça. Inutile de le distraire pendant qu'il conduisait.

Elle consulta l'heure affichée sur le décodeur. Si cette journée avait certainement changé sa vie à jamais, il n'en restait pas moins que demain, elle travaillait. Ce matin à son réveil, elle était triste et contrariée, ce soir elle était une autre femme. Mais toujours employée à la galerie. Il fallait essayer de dormir un peu.

Elle regagna sa chambre à l'étage, jeta son peignoir au pied du lit, se glissa sous la couette. Elle s'endormit sitôt la tête sur l'oreiller.

Les aboiements de Remus la tirèrent du sommeil.

Trois heures et quelques minutes.

Elle n'entendait pas le moindre bruit dans la maison, pourtant Remus était hors de lui. Certes, c'était un chien qui démarrait au quart de tour. Et là, il était lancé. Alex pouvait lui crier de se taire, ça ne marcherait pas.

Ce n'est rien, se dit-elle. Sans doute rien du tout. Mais elle ne réussirait pas à se rendormir s'il continuait ainsi. Résignée, elle enfila peignoir et chaussons et se dirigea vers l'escalier.

– Remus! Ça suffit!

Il poussait des aboiements stridents, étranglés, qui tapaient sur les nerfs. Flûte, mais qu'est-ce qu'il a? se demanda-t-elle. Elle descendit au salon, alluma une lampe. Remus n'était plus dans son panier. Il devait monter la garde devant la porte donnant sur le jardin. Peut-être y avait-il dehors un raton laveur en maraude. Les chiens ont l'oreille fine.

– Remus, qu'est-ce qu'il y a?

Elle passa la tête dans le bureau de son père, dans la salle à manger, non sans avoir allumé la lumière. Pas de Remus. Puis elle longea le couloir menant la cuisine. Même dans le noir, elle distingua sa silhouette, ses muscles saillants, sa robe luisante. Il semblait prêt à bondir. Elle l'appela, il tourna la tête.

– Qu'est-ce que tu as? Pourquoi tu aboies comme ça?

Elle actionna l'interrupteur qui commandait le spot au-dessus du plan de travail. Remus la regarda et continua à hurler, concentré sur la porte close du cellier.

Je l'avais fermée, cette porte? se demanda Alex. Elle ne se souvenait pas. Elle la laissait souvent ouverte, mais peut-être pas ce soir. Et peut-être qu'une souris s'était faufilée là-dedans. Ce ne serait pas la première fois. Depuis la mort de ses parents, il n'y avait plus de chat dans la maison. Laney Thompson, la voisine d'en face, avait adopté Castro après l'accident. Les rongeurs avaient donc le champ libre.

Oui, c'était probablement ça. Néanmoins, elle sentit son cœur cogner dans sa poitrine, en voyant Remus, écumant, planté devant le cellier.

Tout en lui murmurant de se calmer, elle posa la main sur la poignée de la porte. Alors elle remarqua une forme sur le sol. L'angoisse lui noua la gorge. Trop gros pour une souris. Un rat? Le spot n'était pas assez puissant, il n'éclairait pas bien cette partie de la pièce. Alex se figea, attendant que la chose détale. Mais ça ne bougeait pas.

– C'est quoi, ce machin? dit-elle, comme s'il y avait quelqu'un pour répondre.

Elle s'accroupit et tendit une main prudente. C'était froid, gluant. Elle eut un haut-le-corps.

Luttant contre une irrésistible envie de s'enfuir, elle saisit la chose répugnante, d'un rouge foncé, et l'examina. De la viande. Du foie.

Éberluée, elle se remit debout. Remus aboya de plus belle, pourtant Alex entendit une porte grincer. Elle se tourna à demi, vit une ombre sur le mur. Elle ne comprit pas ce qui lui arrivait. Une douleur fulgurante, dans le dos, lui coupa le souffle. Ses genoux la lâchèrent, elle s'écroula sur le morceau de foie.

22

ON MURMURAIT, ON PARLAIT D'ELLE. Des voix inconnues. Elle ne comprenait rien. Qui étaient ces gens ? Elle voulait leur poser une question. Mais quelle question ?

Alex s'obligea à ouvrir les yeux. Le simple fait de soulever les paupières était douloureux. Elle cilla, jeta un regard circulaire. Elle se trouvait dans une chambre qu'elle ne connaissait pas. Une chambre d'hôpital. Elle était reliée à des machines ronronnantes et pourvues d'écrans sur lesquels des chiffres clignotaient. Comment avait-elle atterri là ? Elle ne s'en souvenait plus.

Elle essaya de bouger. Ça faisait mal. Elle prit conscience qu'elle était emmaillotée dans de la gaze, du sparadrap. Il lui semblait qu'on l'avait sciée en deux. La femme coupée en deux des numéros de magie.

Elle laissa échapper une faible plainte. Elle n'était pas capable de mieux. Aussitôt, une infirmière blonde et trapue se précipita à son chevet. Souriante.

– Vous voilà de retour parmi nous. Bonjour.

Alex voulut répondre, mais elle avait la bouche atrocement sèche. L'infirmière saisit un verre et une paille qu'elle lui glissa entre les lèvres. Alex aurait bu la mer et les poissons, mais l'autre reposa le verre.

– Doucement, juste une gorgée.

– Je suis… où ?

– Au Boston General. On vous a amenée en ambulance.

Alex se rappela alors, confusément, une personne en tenue bleu marine qui la bombardait de questions, parlait très fort pour couvrir le hurlement des sirènes. Le véhicule roulait à toute allure, secouant la civière sur laquelle Alex était étendue.

– Qu'est-ce qui s'est passé ?

– Vous ne vous en souvenez pas ?

– Non…

– On vous a poignardée dans le dos.

– Quand ?

– Cette nuit.

Alex émergeait peu à peu de la brume.

– Il y avait quelqu'un dans la maison, balbutia-t-elle.

Elle avait entendu Remus, elle était allée dans la cuisine. Et ensuite…

– Votre agresseur s'est enfui, mais votre chien aboyait comme un fou. Une voisine a finalement alerté la police. Quand on vous a trouvée, vous étiez dans une mare de sang.

Remus… Il m'a sauvée.

– Le Dr Pandava vous expliquera tout ça. Je vais le prévenir que vous avez repris conscience.

Non ! pensa Alex. Restez près de moi. Dites-moi

216

ce qui s'est passé. Mais l'infirmière avait déjà disparu. Est-ce que quelqu'un sait que je suis là ? Et...

Son estomac se contracta. Qui lui avait fait ça ?

Tout à coup, la porte s'ouvrit. Alex tressaillit. Un homme s'approchait du lit. Pas très grand, le teint basané, il était séduisant.

– Je suis le Dr Pandava, dit-il d'une voix chantante. J'étais de garde cette nuit, quand on vous a conduite ici, mademoiselle Woods.

– Merci, murmura-t-elle, sans bien savoir de quoi elle le remerciait.

– De rien.

Qu'est-ce qui m'est arrivé ?

– Vous avez reçu plusieurs coups de couteau. Un couteau à découper, vraisemblablement. Vous présentiez des lacérations importantes. Heureusement, votre agresseur n'était pas un colosse. Les lésions étaient déchiquetées mais pas trop profondes. Nous avons suturé les plaies – vous avez un sacré nombre de points. Comme vous aviez perdu beaucoup de sang, nous avons pratiqué une transfusion. On vous a également administré des antalgiques et des antibiotiques pour éviter l'infection.

Alex grimaça.

– Aucun organe vital n'a été touché, poursuivit le médecin. Somme toute, vous avez eu de la chance.

– Vous parlez d'une chance, marmonna-t-elle.

– Somme toute, oui, répéta-t-il aimablement.

– Hmm... Je peux bouger ? C'est assez douloureux.

– N'hésitez pas, cela accélérera la guérison. Vous pourrez sortir demain matin. L'infirmière vous donnera les instructions à respecter. Il faudra vous ménager. Éviter tout exercice fatigant pendant au moins sept jours. Vous reviendrez dans une semaine pour une visite de contrôle.

— Merci, docteur, dit-elle humblement.

— De rien, répéta-t-il avec un sourire. Je passerai vous voir demain avant votre départ.

Sur quoi, il quitta la chambre. Alex prit le verre, but une gorgée d'eau. Quel délice ! Les explications du médecin, simples et positives, l'avaient rassurée. À l'entendre, ce qu'elle avait subi n'était pas trop grave, elle se rétablirait très vite. Mais elle se sentait désorientée et, pour être honnête, encline à s'apitoyer sur son sort. Apparemment, il n'y avait personne pour s'occuper d'elle. Seth était-il au courant ?

Et Louis Orenstein… La panique la saisit brusquement. Elle avait loupé sa deuxième journée de travail. Pourvu qu'on ne la vire pas. Où était son téléphone ? Évidemment pas ici, à l'hôpital. Elle n'avait sûrement pas eu la possibilité de rassembler ses petites affaires avant qu'on l'installe dans l'ambulance.

À cet instant, la porte se rouvrit.

— Vous êtes d'attaque pour une autre visite ? interrogea l'infirmière.

— Je crois, oui.

— Il y a là des messieurs de la police qui souhaitent vous parler.

— Bon, d'accord. Avant ça, serait-il possible de contacter mon employeur ? Louis Orenstein qui…

— Je vais le dire à votre oncle. Il est dans la salle d'attente. À mon avis, il a dû le faire.

— Mon oncle est là ?

– Il est resté toute la nuit. Votre voisine l'a prévenu qu'on vous avait transportée ici.

– Je peux le voir, s'il vous plaît ?

– La police d'abord, ensuite votre famille.

Quelques minutes après, l'infirmière introduisait deux hommes dans la chambre.

– Mademoiselle Woods ? demanda le policier blanc. Vous vous souvenez de nous ? Je suis l'inspecteur Spagnola et voici l'inspecteur Langford. Nous nous sommes rencontrés chez les Colson. Nous enquêtons conjointement avec nos collègues de Chichester. Nous souhaiterions vous interroger au sujet de l'agression que vous avez subie cette nuit, à votre domicile.

– D'accord, murmura Alex, soudain très ébranlée. J'espère pouvoir vous aider.

Spagnola prit un carnet et un stylo dans la poche de son manteau.

– Bien, mademoiselle Woods. Savez-vous qui vous a fait ça ?

Le visage de Dory surgit brusquement dans l'esprit d'Alex. Elle eut honte.

– Non, répondit-elle d'un ton ferme.

– Pouvez-vous décrire la personne qui vous a agressée ?

– Je ne l'ai pas vue.

– Vous habitez seule dans la maison.

Alex préféra ne pas se lancer dans des explications compliquées.

– Oui.

– Il semble que vous n'ayez pas de système d'alarme.

– Chichester est une ville tranquille.

– L'intrus est passé par la porte de derrière. Il l'aurait ouverte à l'aide d'une carte de crédit. Mon collègue de Chichester m'a dit que la serrure ne valait rien.

Alex se demanda si on n'allait pas lui reprocher de s'être fait larder de coups de couteau sous son propre toit.

– Je la changerai, soupira-t-elle.

– Mais il est possible que votre agresseur ait eu une clé. À part vous, qui a la clé de votre domicile ?

Alex se sentait de plus en plus angoissée.

– Ma voisine d'en face.

– Mme Thompson. C'est elle qui a alerté la police.

– Mon oncle Brian a aussi une clé.

– Oui, nous lui avons parlé. Dans la salle d'attente. Il nous a dit que votre demi-sœur logeait chez vous. Et bien sûr, votre demi-sœur, c'est Dory Colson.

Alex hocha lentement la tête.

– Comme vous le savez, elle est retournée chez ses parents hier.

– Aurait-elle, selon vous, une raison de vous vouloir du mal ?

Alex se remémora Dory, quand elle était venue prendre ses bagages et l'avait surprise dans les bras de Seth. Elle faillit en parler, se ravisa. Ils sauteraient sur la moindre occasion de harceler Dory.

– Mademoiselle Woods ?

– Je… je ne crois pas.

– D'accord. Racontez-nous ce qui s'est passé. En détail.

– J'étais couchée, je dormais. J'ai entendu Remus aboyer. Comme il aboie pour un rien, je ne suis pas descendue tout de suite. Seulement, il ne s'arrêtait pas. Je l'ai trouvé dans la cuisine, devant la porte du cellier. J'ai pensé qu'il y avait peut-être une souris.

– Et ensuite ?

– Ensuite je…

Alex fouilla sa mémoire.

– Oui, j'ai aperçu quelque chose par terre. Je me suis dit que c'était ça qui mettait Remus dans tous ses états. Une souris, un rat, une bestiole quelconque. Mais quand je… j'ai touché et je me suis rendu compte que ce n'était pas vivant. Alors je… je l'ai ramassé.

– C'était quoi ?

– Du foie, il me semble.

– Quand les secours sont arrivés, ils ont effectivement découvert un morceau de foie cru. Vous étiez couchée dessus.

– Quelle horreur.

– La viande était empoisonnée.

Alex sursauta.

– Empoisonnée ? Avec quoi ?

– Nous attendons les résultats de l'analyse. Il était couvert, sur un côté, d'une sorte de poudre granuleuse. Pour une raison mystérieuse, le chien ne l'a pas mangé. Il a poursuivi, peut-être mordu, votre agresseur. Nous avons découvert des fibres bleu marine sur son collier. D'où nous concluons qu'il a attaqué.

– En bon chien de garde qu'il est.

– Pardon ?

– Quand ma sœur l'a ramené à la maison, elle a dit qu'il nous protégerait. C'est ce qu'il a fait.

– Pour autant que nous puissions en juger, aucun

objet de valeur n'a été dérobé. Évidemment, l'intrus comptait se débarrasser du chien grâce à la viande empoisonnée, mais ça n'a pas marché. Résultat, il a été forcé de décamper sans rien emporter. Sans doute avait-il projeté de faire vite, en silence. Vous auriez pu ne pas vous réveiller.

– Humm.

– Avez-vous chez vous des objets précieux, susceptibles d'attirer des voleurs ?

– Non, pas depuis la mort de mes parents. La maison est restée inoccupée pendant des mois. J'étais à l'université.

– Bizarre qu'on ait choisi de cambrioler votre domicile cette nuit, alors que vous avez été longtemps absente, rétorqua pensivement Spagnola.

– Oui, en effet.

– Tout cela nous conduit à nous demander si vous n'étiez pas personnellement visée.

Spagnola lissa sa moustache, relut ses notes.

– Y a-t-il quelqu'un dans votre entourage qui aurait des griefs contre vous ? Avez-vous eu des problèmes avec Dory Colson…

– Ce n'est pas ma sœur qui m'a poignardée.

– Vous êtes très affirmative.

– Oui. Oh, ne vous méprenez pas, je ne dis pas qu'elle a une passion pour moi. Mais elle adore les bêtes. Jamais elle n'empoisonnerait un chien, je vous le garantis.

– Il faut une première fois à tout.

Alex secoua vivement la tête, ce qui eut pour résultat de réveiller la douleur.

– Non, je vous assure que c'est impossible. Elle préfère les chiens aux humains. De plus, Remus aboyait comme un fou parce qu'il y avait quelqu'un dans le cellier. Il ne se serait pas comporté de cette façon si Dory avait été dans le cagibi.

– Vous savez, je vois beaucoup de pitbulls dans mon boulot. Tous les dealers, du sud au nord de cette ville, en ont un. Ces animaux sont extrêmement agressifs. Ils aboient pour un oui ou pour un non.

– Je vous crois volontiers. Mais tout dépend de la manière dont on les traite. Remus n'aurait pas l'idée de menacer Dory.

– Bon, accordons à ce chien le bénéfice du doute. Il a peut-être cru que c'était une espèce de jeu. Il aboyait pour vous dire qu'elle se cachait dans le cellier.

Alex, butée, secoua de nouveau la tête.

– Je l'ai entendu, et je vous jure qu'il ne jouait pas.

– OK, essayons d'avancer, soupira Spagnola. Qui d'autre pourrait vous en vouloir ?

– Je ne connais quasiment personne. J'ai quitté la région pour suivre mes études universitaires, j'ai perdu de vue les gens que je connaissais avant. Hormis mes voisins et les membres de ma famille.

– Un petit ami ? Un amant avec qui vous auriez rompu et qui ne vous le pardonnerait pas ?

Alex pensa aussitôt à Seth. Il n'était pas son amant. Pas encore. Leur relation commençait à peine. Inutile de le mentionner.

– Non...

– Une équipe est en train de passer votre maison au peigne fin et de relever les empreintes. S'il y a

223

quelque chose à trouver, on le trouvera. Et si un détail vous revient, n'hésitez pas à me contacter.

Il lui donna sa carte, qu'Alex posa sur la table roulante. Les deux inspecteurs quittèrent la chambre. Un instant après, Brian entrait, fatigué et mal rasé. Il voulut la prendre dans ses bras. Elle l'arrêta d'un geste.

— Pas d'embrassades pour le moment, j'ai mal.

Il approcha une chaise du lit, effleura de l'index la main de sa nièce.

— Je me sens coupable, murmura-t-il avec un sourire triste. J'aurais dû insister, te convaincre de t'installer chez nous.

— Ne dis pas ça. Tout allait bien jusqu'à cette nuit.

— Quand tu as décidé de retrouver Dory, j'aurais dû t'en empêcher. Elle est aussi dingue que son géniteur. Je ne me le pardonnerai jamais.

— Oncle Brian, ce n'est pas Dory qui m'a fait ça.

— Bien sûr que si. Elle a fait la même chose à son autre sœur. Sauf que, l'autre, elle l'a tuée.

— Non, elle est innocente.

— Mais c'est exactement la même histoire, Alex. Je l'ai d'ailleurs dit aux policiers. Et ce matin, j'ai téléphoné à cette étudiante en droit, Marisol. Je n'ai pas mâché mes mots, je te prie de le croire. Avoir aidé cette folle à sortir de prison, t'avoir convaincue de l'héberger… Et voilà comment on te remercie !

— Tu veux bien m'écouter, s'il te plaît ?

— Oh, excuse-moi, je suis crevé. Je poireaute depuis des heures, depuis que Laney m'a prévenu.

— Je sais, et je t'en suis reconnaissante.

– Je n'arrête pas de ruminer ça : pourquoi je n'ai pas insisté...

– Tu n'as pas insisté parce que je suis adulte et que tu ne peux pas me dicter ma conduite.

– Heureusement que tu avais ce chien.

– Grâce à Dory.

– C'est ça, et d'après les flics, elle a tenté de l'empoisonner pour qu'il ne la gêne pas.

– Voilà justement pourquoi je suis certaine que ce n'était pas elle. Jamais elle n'empoisonnerait un chien. Elle adore les animaux. Elle préférerait ingérer elle-même le poison.

– Tu n'en sais rien du tout. Et si c'était une psychopathe ?

– Mais non. De toute façon, si elle avait été dans le cellier, Remus n'aurait pas aboyé.

– Enfin bref, les policiers vont l'interroger. On en aura le cœur net. En attendant, tu vas quitter cet hôpital. Demain, d'après ce qu'on m'a dit. Donc je rentre à la maison aider ta tante Jean à tout préparer, et je reviens te chercher demain matin.

– Tout préparer ? C'est-à-dire ?

– Tu t'installes chez nous.

– C'est très gentil, oncle Brian, mais non.

– Il n'est pas question que tu restes dans cette baraque.

– Je ne risque rien. Laney est juste en face.

– Ça t'a fait une belle jambe, que Laney soit en face, quand cette dingue était planquée dans ton cellier ! s'énerva-t-il.

– Nous serons sur nos gardes, à présent. Mais j'ai mon travail à la galerie. Et puis il y a... un homme à qui je tiens. Il sera bientôt de retour... Si je l'appelle pour lui raconter ce qui m'est arrivé, je suis sûre qu'il reviendra le plus vite possible et…

— Attends, l'interrompit Brian. Attends un peu. Cette nuit, on a failli te perdre. Tu as failli être assassinée dans cette maison. Et maintenant tu veux y retourner toute seule ? Tu vas t'installer chez nous, un point c'est tout !

— Il n'en est pas question, dit-elle avec une assurance qu'elle était loin d'éprouver. Je ne fuirai pas.

— Alex, tu vas m'écouter ! s'emporta Brian, pointant l'index vers elle. Tu ne passeras pas une nuit seule dans cette maison. Je te l'interdis.

— Elle ne sera pas seule.

Alex et Brian tournèrent la tête. Dory, campée sur le seuil, les observait tranquillement.

— Je peux lui tenir compagnie.

23

– EXCUSEZ-MOI, MAIS… qui êtes-vous? demanda Brian.

– Je te présente ta nièce, dit Alex en souriant. Dory Colson.

Il eut de la peine à contrôler l'expression de son visage.

– Ah…

– Dory, voici Brian Reilly. Le frère de ma mère. Ton oncle.

– Bonjour, dit Dory avec froideur.

– Enchanté de faire votre connaissance, répondit Brian d'un ton radouci.

– Comment tu as su que j'étais ici, Dory?

– Par les flics. Ils voulaient me coller cette histoire sur le dos.

– Je leur ai pourtant expliqué que tu n'y étais pour rien.

Dory haussa les épaules. Un petit sourire joua sur ses lèvres.

– Il paraît que Remus t'a sauvé la vie?

– Effectivement.

– Je t'avais dit que c'était un brave chien.

– Et tu avais raison.

– Donc, si tu veux, je resterai avec toi quelque temps. Je suppose que tu as la trouille, maintenant.

– Ne te sens pas obligée de…

– Ça ne me gêne pas. Sinon, je ne te le proposerais pas. Je te dois bien ça.

Brian fixa un regard suppliant sur Alex.

– Vous êtes très gentille, mais je crois qu'elle serait mieux chez nous.

– À elle de choisir. Moi, je suis juste venue voir si ça allait.

Alex lui sourit.

– Si tu veux bien me tenir compagnie quelques jours, je t'en serais reconnaissante.

– Je t'ai dit que ça ne me dérangeait pas.

– Je ne peux pas t'en empêcher, Alex, insista Brian, mais je préférerais vraiment…

Elle lui prit la main, la serra très fort.

– Tu t'inquiètes pour moi, je le sais. Et franchement, être seule à la maison m'angoisserait. Mais avec Dory auprès de moi, je me sentirai en sécurité. Toutes les deux, on sera bien. N'est-ce pas, Dory ?

Le lendemain matin, Dory vint la chercher. Elle pilotait le pick-up de Garth.

– J'ai perdu l'habitude de conduire, annonça-t-elle.

– C'est comme le vélo, ça ne s'oublie pas.

– Je retrouve mes automatismes, c'est vrai. J'ai conduit mon père à son travail, ce matin, et il m'a laissé le pick-up. Il m'a dit que, pour quelques jours, il se débrouillerait.

– Il ne se sert pas de ce véhicule pour transporter des choses ?

– Il a des employés.

– Et ta mère, comment a-t-elle réagi ?

Alex se hissa dans la cabine et, avec précaution car elle avait le torse bandé, boucla sa ceinture de sécurité.

– Bien, répondit Dory.

Alex opina. Elaine est sans doute contente de ne plus t'avoir dans les pattes, pensa-t-elle.

– En tout cas, merci de me ramener à la maison.

– Y a pas de quoi, marmonna Dory, concentrée sur les panneaux pour ne pas louper la sortie Chichester.

Les amortisseurs étaient usés et à chaque cahot Alex réprimait un gémissement. Elle était plus faible qu'elle ne le croyait. Elle avait attendu avec impatience de quitter l'hôpital, mais pour s'habiller et se chausser, ç'avait été une épreuve exténuante. Dory ne l'avait pas bousculée, mais ne l'avait pas non plus dorlotée. Au lieu de garer le pick-up devant la sortie, elle avait demandé à Alex de la rejoindre dans le parking souterrain. Ce qui n'avait pas été une partie de plaisir. C'est mieux comme ça, se dit Alex. Ne compter que sur soi l'aiderait à se rétablir plus rapidement.

Quand Dory stoppa dans l'allée, Alex ne rêvait plus que de se blottir dans son lit. La perspective de monter l'escalier jusqu'au premier lui donnait envie de pleurer. Elle avait mal, elle n'en pouvait plus.

– Fais attention où tu poses les pieds, dit Dory.

Il y avait encore de la neige, çà et là. Alex fit un pas et glissa. Elle se rattrapa de justesse, poussa un cri

– de violents élancements lui trouaient le dos. Dory lui tendit la main. Elle la prit avec gratitude et, s'accrochant à sa sœur, parcourut les quelques mètres qui la séparaient du perron.

Quand elle fut dans sa chambre, Alex s'allongea et sombra dans un profond sommeil. Elle fut réveillée par la sonnette. Elle entendit Dory ouvrir la porte d'entrée, parler à voix basse. Ses chuchotements furent interrompus par un aboiement. Remus était de retour. Laney Thompson l'avait recueilli pendant qu'Alex était à l'hôpital. Sans doute avait-elle remarqué le pick-up et ramené le chien.

Alex voulut se lever et sortir sur le palier pour échanger quelques mots avec sa voisine. Elle souhaitait lui demander de téléphoner à Seth pour lui expliquer ce qui s'était passé. Elle n'osait le faire elle-même, de peur qu'il interprète son coup de fil comme un appel au secours. Elle ne voulait pas qu'il se sente obligé de revenir sur-le-champ.

Mais elle n'eut pas la force de s'extraire du lit et de marcher. En bas, la porte se referma. Puis Alex entendit Dory parler à Remus qui, à en juger par le cliquetis de ses griffes sur le sol, la suivait comme son ombre.

Alex s'assoupit de nouveau, jusqu'à ce que Dory la secoue.

– Hé, on se réveille. Il faut manger.

– Humm, ça sent bon. Du bouillon de poulet.

– Il paraît que c'est excellent pour ce que tu as. Tu veux que je te l'apporte ou tu es en état de descendre ?

– Il vaut mieux que je descende. Le docteur m'a

conseillé de bouger un peu. Ça m'aidera à reprendre plus vite des forces.

Alex espérait que Dory insisterait pour lui monter son repas, mais sa sœur la regarda d'un air impassible.

– Alors, debout.

Elle tourna les talons et s'en fut. Alex soupira. Dory n'était pas du genre à choyer quelqu'un. Elle se leva et, à pas lents, sortit sur le palier.

Dès qu'elle entama sa descente de l'escalier, Remus se mit à aboyer, ce qu'Alex trouva étrangement réconfortant.

– Tu es un bon toutou, lui dit-elle.

Sur la table de la cuisine, il y avait deux bols. Dory s'était déjà attaquée au sien. Alex s'assit en face d'elle, goûta le bouillon.

– Délicieux. Tu as dû aller à l'épicerie?

– Non, juste dans le cellier. Je n'ai eu qu'à le réchauffer.

Perturbée soudain, Alex coula un regard en direction du cellier où sa mère avait toujours stocké ses réserves alimentaires. Elle fut soulagée de voir que la porte était ouverte.

– C'est là que ton agresseur était planqué? demanda Dory.

Alex acquiesça.

– Et tu sais qui c'était?

– Je n'en ai aucune idée.

– Tu as eu de la veine que Remus soit là.

– Et qu'il n'ait pas mangé le foie.

– Du foie?

– L'agresseur avait prévu un morceau de foie

empoisonné, pour être tranquille. Mais Remus n'y a pas touché.

Dory appela le chien. Quand il fut assis près d'elle, docile, elle lui parla doucement, lui répéta qu'il était formidable et le gratouilla derrière les oreilles.

– Dory, j'aimerais te poser une question.

Sa sœur, sans cesser de caresser Remus, leva vers elle son habituel regard indéchiffrable.

– Tu étais vraiment fâchée à cause de Seth et moi ?

Dory sourcilla, ses yeux s'assombrirent.

– Pourquoi ? Qu'est-ce que tu en as à fiche ?

– Je veux juste te dire qu'il n'y avait rien entre Seth et moi. Pas avant l'autre soir. Il me plaisait beaucoup, mais j'ignorais que c'était réciproque.

– Eh ben, t'es une veinarde.

– Je suis sincère, Dory. Je ne me moque pas de toi. Je n'avais pas l'intention de te mettre en colère.

– La belle affaire. Ce n'est qu'un type parmi tant d'autres.

– Très bien. Je tenais à dissiper ce malentendu.

– Pourquoi ?

– Parce que je ne voudrais pas que tu aies une fausse idée de moi.

– Comme ça m'est arrivé avec Lauren, articula Dory, glaciale. À cause de Rick. Ne t'inquiète pas, je ne suis pas cinglée. Je pense toujours qu'il y avait un truc entre eux. Mais je ne l'ai pas tuée, et je n'ai pas non plus essayé de te tuer.

– Je le sais.

Un silence gêné s'installa entre elles. Ce fut Alex qui, finalement, le rompit.

– Ton père m'a appris une chose sur Lauren.

– Quelle chose ?

– Il m'a dit que Lauren était gay.

Dory se recula brutalement.

– N'importe quoi ! C'est un mensonge. Elle avait des petits copains.

– Je te répète ce qu'il m'a dit.

Dory balaya l'argument d'une main agacée.

– Non, Lauren allait se marier. Avec un chanteur, Walker Henley. Sur scène, il porte toujours un gigantesque chapeau blanc de cow-boy. Mes parents étaient tout excités, ma mère organisait le mariage qui devait avoir lieu à l'Opryland[1] de Nashville. Henley habite à Nashville. Il est venu à la maison une fois qu'elle était là. Je m'en souviens. Un type très sympa. Trop gentil pour elle. Et puis, ils ont rompu.

– Tu sais pourquoi ?

– Elle était trop concentrée sur sa chère carrière. Ils se sont séparés parce que Lauren travaillait trop.

– Il n'y avait pas que cela. La vraie raison, selon moi, c'était l'homosexualité de Lauren. Elle la gardait secrète pour préserver sa carrière, justement. Dans l'univers de la country, on n'est pas fan des gays.

Dory lui décocha un regard mauvais.

– Pourquoi il t'a dit ça à toi ?

– Je lui ai laissé entendre que tu n'avais peut-être pas tort d'être jalouse à propos de Lauren et Rick. Qu'ils se voyaient peut-être en cachette.

– Tu m'as défendue ?

Alex hocha la tête.

------

1. Parc d'attractions.

– C'est pour ça qu'il m'a avoué que Lauren était gay. À quoi bon le dissimuler puisqu'elle est morte ?

Une expression blessée se peignit sur le visage de Dory.

– C'est incroyable. On te le dit à toi et pas à moi. Pourquoi on ne me l'a pas dit ?

– Lauren leur a peut-être demandé de ne pas le faire, répondit Alex, feignant l'ignorance.

– Faut que je réfléchisse à tout ça, grogna Dory qui se leva brusquement.

– Où vas-tu ?

– J'ai besoin de marcher. De m'éclaircir les idées.

– Tu sors ? lança Alex, alarmée.

– Je ne suis pas prisonnière, hein ? railla Dory.

– Non, murmura Alex.

– Je ne resterai pas longtemps dehors, ajouta plus gentiment Dory. Garde ton portable dans ta poche, au cas où.

– Oui, bonne idée. Il est où, mon portable ?

– Je l'ai vu dans la salle à manger.

Dory accrocha la laisse au collier de Remus, ouvrit la porte du jardin. Tu emmènes Remus ! faillit protester Alex. Elle se mordit la langue. Ce serait trop… pitoyable.

– Remus a besoin de se dégourdir les pattes. On se dépêche. Enferme-toi dans la maison, si tu as peur. Au fait, le serrurier est venu pendant que tu dormais. Personne ne pourra plus ouvrir cette foutue porte avec une carte de crédit.

– Tant mieux, balbutia Alex d'une voix chevrotante.

– On est en plein jour, ne t'affole pas. Va cher-

234

cher ton téléphone. J'attends jusqu'à ce que tu l'aies sur toi.

Alex obéit et se traîna jusqu'à la salle à manger. Son mobile était effectivement sur la desserte.

– Je l'ai !

Elle avait reçu un SMS de Louis Orenstein ; il avait eu des nouvelles par Brian, et lui ordonnait de se reposer. Seth l'avait appelée une dizaine de fois et lui avait également envoyé un texto.

– OK. On y va ! Ferme la porte à clé.

Alex revint dans la cuisine et verrouilla la serrure flambant neuve. Tout va bien, se dit-elle. Tu es en sécurité, tu ne risques absolument rien.

Elle composa le numéro de Seth, tomba sur sa boîte vocale.

– Bonjour, Seth. C'est moi, Alex. Désolée de n'avoir pas répondu à tes coups de fil. Je… je n'étais pas… disponible.

Elle refusait de lui expliquer la situation par téléphone. Elle aurait voulu le supplier de rentrer au plus vite, mais ce serait déraisonnable. Il devait tout régler avant de revenir ici. Et puis, elle n'était pas seule. Elle avait Dory.

– Je vais bien, poursuivit-elle. J'espère que ton déménagement ne pose pas de problèmes. Je te rappellerai bientôt.

Un bref silence, elle ne savait pas comment conclure.

– Au revoir…, bredouilla-t-elle, et elle raccrocha.

Elle se sentait idiote. Elle glissa le mobile dans la poche de son sweat et passa dans le vestibule pour s'assurer que, là aussi, la porte était fermée à double tour.

24

ALEX S'ÉTAIT INSTALLÉE dans le bureau de son père, dans son vieux fauteuil en cuir. C'était la pièce de la maison où elle se sentait le plus en sécurité, au milieu des livres, des papiers et des pipes. Elle avait le nez collé à l'écran de l'ordinateur quand Dory et Remus revinrent. Elle les entendit s'ébrouer en bas et en fut soulagée.

– C'était bien, la balade ? cria-t-elle.

– Super ! Il fait un froid de canard.

– Tu te sens mieux ?

Dory la rejoignit, frappant sa cuisse avec la laisse du chien.

– Je me sentais pas mal. Qu'est-ce que tu fabriques ?

Alex désigna le fauteuil Windsor qu'elle avait approché du sien.

– Viens voir ça.

Dory s'assit, regarda l'écran.

– Qu'est-ce que c'est ?

– Le site Ticketmaster.

– Tu comptes réserver un billet de concert ?

– Je pensais qu'on pourrait y aller ensemble.

Dory fronça le nez.

– Je les connais pas, ces groupes.

– C'est un festival de musique country, dit Alex qui s'adossa au fauteuil et se frotta les yeux. J'ai beaucoup pensé à Lauren et ce type, Walker Henley.

– À quoi bon penser à eux ? grommela Dory d'un ton dégoûté.

– Tu sais que des policiers sont venus me voir à l'hôpital. Ceux qui reprennent l'enquête sur le meurtre de Lauren.

– Ouais… Poivre et Sel, ironisa Dory. Ils me regardent comme si j'avais de la merde de chien sur les chaussures. Le procureur a abandonné les charges contre moi, n'empêche que pour ces deux flics, je suis toujours la coupable.

– Apparemment, à l'époque du drame, les enquêteurs ne se sont intéressés qu'aux gens que Lauren connaissait à Boston. Mais son entourage à Branson ? Ou à Nashville. Ses amantes, ses collègues, ses rivaux ? En un sens, elle avait une vie secrète. Elle a forcément dû exaspérer certaines personnes.

– Sans doute, soupira Dory.

– Bref, j'ai cherché ce Walker Henley sur Google. Et, entre autres choses, j'ai découvert qu'il est actuellement en tournée. Il chante ce soir à Providence, dans le Rhode Island.

– Et alors ?

– Ce n'est qu'à deux heures de route, environ. J'ai pensé qu'on pourrait y aller. Si on réussit à lui faire passer un message, en lui disant que tu es la sœur de Lauren, il acceptera peut-être de nous parler. Il en sait sûrement plus que nous sur la vie pri-

238

vée de Lauren. Imagine qu'il nous indique une autre piste...

– Nous ? Mais je m'en fous, moi ! rouspéta Dory.

Cette fois, Alex faillit perdre patience.

– Écoute, ce meurtre te poursuivra tant que la police n'aura pas arrêté le véritable assassin de Lauren. Il me semble que c'est une bonne raison de se remuer.

– Quel est ton intérêt là-dedans ?

– On a tenté de me tuer, ici dans ma maison. J'ai l'impression d'avoir une cible accrochée dans le dos, et j'ignore pourquoi. Mais je suis convaincue que cette agression a un lien avec la mort de Lauren.

Dory sursauta.

– Qu'est-ce qui te fait penser ça ? Qu'est-ce que tu en sais ?

– Je ne sais rien. Disons simplement que je ne crois pas aux coïncidences. Mettons que ce soit une intuition...

– Ça, c'est du pipeau.

– Bon, appelle ça comme tu veux. Tu es d'accord pour aller à Providence ? Je ne suis pas en état de conduire si longtemps. Si je supporte le trajet, ce sera déjà bien.

– Moi, je peux conduire.

– Parfait. Je prends deux billets, ajouta-t-elle en cliquant sur « ajouter au panier ».

Le Hillman Center, où Walker Henley se produisait avec trois autres groupes de country, était un vieil auditorium situé en plein centre de la ville et pourvu d'un parking gratuit mais éloigné. Dory fit plusieurs fois le tour du quartier, à la recherche d'une place de stationnement. Elles avaient plusieurs d'heures d'avance, mais se garer dans le coin paraissait impossible.

– Je suis obligée d'aller dans ce foutu parking, ronchonna Dory qui ralentit devant le Hillman Center. Tu ferais mieux de descendre.

– Je viens avec toi, dit Alex qui avait mal partout.

– Non, c'est trop loin. Mais pourquoi je me suis laissé convaincre de venir dans ce bled ? Attends-moi là.

– Tu es sûre ?

– Ouais. Allez, grouille-toi.

– D'accord. Merci. Je serai dans le hall.

Sans répondre, Dory accéléra et se perdit dans le flot de voitures qui encombraient le centre de Providence. Alex prit dans son sac ses antalgiques et une petite bouteille d'eau. Elle avala deux comprimés. Puis elle monta lentement les marches, cramponnée à la rampe, s'arrêtant à chaque pas. Elle atteignit malgré tout la porte à double battant et pénétra dans le bâtiment désuet.

Les épaisses moquettes à motifs étaient probablement superbes lorsqu'on les avait posées, mais à présent elles étaient élimées par les milliers de bottes, baskets et chaussures à talons qui les avaient foulées. Les murs crème étaient sales, les appliques en opaline, à l'entrée, n'étaient pas allumées. Un stand de boissons et de souvenirs occupait le mur du fond. Pour l'instant, il n'y avait là qu'une blonde peroxydée, en veste noire et cravate sur une chemise blanche défraîchie. Elle déballait des paquets de friandises.

– Excusez-moi, lui dit Alex.

– La boutique n'ouvre que dans... (la blonde jeta un coup d'œil à la pendule au-dessus des portes)... dans une demi-heure.

– En fait, je cherche le directeur du théâtre.

– Il est par là, quelque part.

– Je dois transmettre un message à l'un des artistes qui jouent ce soir, c'est très important. Walker Henley. Le directeur pourrait peut-être me conduire jusqu'à lui.

– Vous avez un pass V.I.P. ?

– Non, avoua Alex. Je me suis dit qu'il souhaiterait me rencontrer.

La fille fit la grimace.

– On ne permet pas aux fans d'aller en coulisses.

– Je ne suis pas une fan. Il s'agit d'une histoire personnelle. Il sortait avec ma sœur, et elle est... morte. Je voulais juste lui parler...

– Deirdre ! lança une voix impatiente. Qu'est-ce qui se passe ?

– Voilà le directeur, M. Isgro, annonça la blonde.

Alex se retourna. Un homme très soigné, coquet, qui avait dépassé la trentaine, approchait ; une expression agacée se lisait sur son visage. Alex lui tendit la main.

– Monsieur Isgro, c'est vous que je cherchais. Je suis Alex Woods. Je souhaite voir Walker Henley pour des raisons personnelles.

Le directeur lui jeta un regard glacial.

– Vous en êtes où ? demanda-t-il à la blonde. Tout est rangé ?

– Presque.

– S'il vous plaît, insista Alex qui sortit de son sac le mot qu'elle avait rédigé. Vous me prenez sûrement pour une fan complètement folle, mais vous vous trompez. Je vous serais reconnaissante de remettre ce message à M. Henley. Il décidera lui-même s'il veut ou non me parler.

– Vous avez votre billet, mademoiselle ?

– Oui... Enfin, il est réservé. Je l'aurai dès que le guichet sera ouvert.

– Parfait. Prenez votre billet et passez une bonne soirée.

– Je vous demande simplement de...

Isgro s'avança, si près que l'odeur musquée de son after-shave emplit les narines d'Alex.

– Je suis pas là pour emmerder les artistes. Mon job, c'est de veiller à ce qu'on les emmerde pas. Vous vous en allez, et vous revenez dans une demi-heure, à l'ouverture du guichet. Deirdre, je veux que vous me fourguiez ces T-shirts. Vous proposez un T-shirt à tous les clients, même à ceux qui ne veulent qu'un paquet de chewing-gum. Pigé ?

– Ouais.

– À la fin de la soirée, je ne veux pas entendre d'excuses foireuses. Je veux qu'ils soient tous vendus, ces T-shirts, sinon vous n'aurez qu'à vous trouver un autre boulot.

Sans un regard pour Alex, il se dirigea à grands pas vers une porte qui paraissait découpée dans les moulures décoratives du mur, et disparut.

– Connard, marmonna Deirdre.

– Travailler pour lui... ce doit être difficile.

– Ouais, c'est pas de la tarte.

– Je ne devrais pas m'étonner qu'il m'ait envoyée sur les roses. Je suppose que les gens font des pieds et des mains pour approcher ces musiciens.

– En principe, ils racontent qu'ils sont journalistes.

– Trop tard maintenant pour tenter le coup,
rétorqua Alex avec un sourire lugubre.

Deirdre coula un regard vers la porte dérobée
qu'Isgro avait franchie. D'un index à l'ongle écar-
late, elle fit signe à Alex d'approcher.

– Mon copain est électricien dans ce théâtre,
chuchota-t-elle. C'est comme ça que j'ai eu ce job.
Vous ressortez et vous allez jusqu'aux poubelles, à
une centaine de mètres, dans Sunnyside Row. Là,
vous tapez à la porte, vous demandez George. Vous
lui dites de filer votre mot à un roadie de Henley. Et
dites-lui bien que vous venez de ma part.

– Merci beaucoup.

– Je vous promets rien.

– Naturellement.

– Allez-y. Je tiens pas à ce qu'Isgro me voie en
train de parler avec vous.

– Merci, répéta Alex.

Resserrant autour d'elle les pans de son manteau,
elle quitta le hall et redescendit les marches, péni-
blement. Dory arrivait. Elle observa Alex, les sourcils froncés.

– Il nous faut trouver l'entrée des artistes, par là-
bas, déclara Alex.

– Je vais chercher le pick-up.

– Tu n'es pas obligée. Je peux marcher.

– Non, tu ne peux pas. Attends-moi là.

Le George de Deirdre, un costaud avec bouc et
bacchantes, prit le billet, articula un sec «J'verrai»
et claqua la porte.

243

– Et maintenant qu'est-ce qu'on fait ? demanda Dory qui surveillait le pick-up mal garé près d'une benne à ordures.

– Je ne sais pas. J'ai noté mon numéro de téléphone sur le papier. Je propose qu'on aille au spectacle et qu'on attende des nouvelles de Henley.

– Il n'appellera pas.

– Dans ce cas, que proposes-tu ?

À cet instant, au bout de la ruelle apparurent deux SUV noirs aux vitres teintées. Alex et Dory se réfugièrent sur l'étroit trottoir, tandis que les deux véhicules ralentissaient et s'arrêtaient devant l'entrée des artistes. Les portières s'ouvrirent, des types en jaillirent. Tous en jean délavé, santiags, et chapeau de cow-boy vissé sur le crâne.

– Il est là ? chuchota Dory.

– Je n'en suis pas sûre.

– Bon, je vais poser la question.

– Dory, attends !

Soudain, son mobile sonna. Elle lut le nom qui s'inscrivait sur l'écran.

– Il faut que je réponde.

Dory se dirigea d'un pas résolu vers les SUV. Alex prit la communication.

– Seth ? murmura-t-elle.

– Alex, enfin !

En entendant sa voix chaude, elle eut des picotements dans tout le corps.

– Comment vas-tu ? bredouilla-t-elle.

– Où étais-tu ? Je t'ai appelée une vingtaine de fois.

Elle hésita. Elle ne voulait pas l'inquiéter, mais refusait de lui mentir.

– J'ai été hospitalisée d'urgence. Je n'avais pas mon téléphone.

– Hospitalisée ? Pour quelle raison ? Tu vas bien ?

– Maintenant, oui.

– Tu es chez toi ?

– Non, je suis à Providence. Avec Dory.

– Donc tu vas à peu près bien. Et que faites-vous là-bas ?

– Nous devons assister à un concert… pour essayer de retrouver quelqu'un. C'est une longue histoire, je te raconterai tout à ton retour. J'ai tellement hâte de te voir. Comment ont-ils réagi quand tu as annoncé que tu démissionnais ?

– Ils n'ont pas été enchantés, mais ils n'auront pas de mal à me remplacer. Par ici, il y a beaucoup plus de diplômés que de postes d'enseignant.

– Alors, tu n'as pas changé d'avis…

– Jamais de la vie !

– J'ai hâte de te voir, répéta Alex.

– Moi aussi. Je veux que nous reprenions les choses exactement là où nous les avons laissées.

À ce moment, Dory accourut, agitant les bras.

– Viens ! C'est celui qui a le chapeau blanc, et il veut bien nous parler !

Alex avisa un homme, immobile devant l'entrée des artistes, qui les observait toutes les deux avec curiosité.

– Seth, je dois raccrocher…

– Je t'aime.

Alex fut trop éberluée pour répondre. Craignant d'avoir brûlé les étapes, Seth s'empressa d'ajouter :

– Au revoir, à bientôt.

Et il coupa la communication. Alex contempla

fixement son mobile. Elle n'en croyait pas ses oreilles. Il l'aimait. Et elle n'avait rien dit.

– Alex, grouille ! Il est pressé, ce type, il a un public qui l'attend.

Alex hésitait, tenaillée par le besoin de rappeler Seth, de lui avouer qu'elle partageait ses sentiments. Mais Dory trépignait.

– D'accord.

Elle fourra le téléphone dans sa poche et, avançant prudemment sur les pavés gelés et glissants de la ruelle, suivit sa sœur.

25

Les loges du Hillman Center n'étaient pas
luxueuses : des box étriqués et sinistres, de
chaque côté d'un couloir déprimant, meublés de
chaises pliantes et d'un miroir devant lequel s'alignaient un peigne, une brosse et un séchoir à cheveux. Il y avait là des tas de gens qui mangeaient,
buvaient et s'esclaffaient. Des canettes de soda, des
bouteilles de bourbon à moitié vides et des cro-
quettes de porc traînaient un peu partout.

Ce décor minable ne semblait pas perturber
Walker Henley. Il fit entrer Dory et Alex dans sa
minuscule loge et les invita à s'asseoir. Lui-même prit
place devant le miroir. Une fille parée de tatouages
et d'innombrables piercings entra avec une valise de
maquillage.

– Enlevez-moi ce chapeau, ordonna-t-elle.

Walker obéit et, aussitôt, la maquilleuse lui tartina
la figure de fond de teint. Alex en profita pour examiner Henley dans la glace. Il avait dans les trente-cinq
ans, il était séduisant. Rasé de près, soigné. Il remarqua qu'Alex le regardait et lui fit un clin d'œil.

247

— On ne cligne pas de l'œil, gronda la maquilleuse.

— Pardon. Dites-moi, mesdemoiselles, vous avez
un lien de parenté, toutes les deux ?

— Je suis la demi-sœur de Dory, répondit Alex.

— Vous, Dory, je vous connaissais de nom, bien
sûr. À cause de ma… de mon amitié pour Lauren,
j'ai suivi de près toute l'affaire. Si j'ai bien compris,
vous avez fait de la prison pour un crime que vous
n'avez pas commis.

— Exact, répondit Dory.

— C'est moche.

Alex garda le silence.

— Eh bien, qu'est-ce que vous attendez de moi ?
demanda Walker.

— Euh… Explique-lui, toi.

Alex espéra qu'elle n'allait pas bafouiller lamenta-
blement. Elle n'était pas remise de sa brève conversation avec Seth, qui l'avait indéniablement détournée
de sa mission. Et puis, elle se sentait faible, épuisée.
Elle en avait trop fait aujourd'hui, juste après sa sortie
de l'hôpital.

Dory la dévisageait. Elles avaient pisté Walker
Henley, maintenant elles lui devaient une explication.

— Lorsque le procureur a abandonné les charges
contre Dory, commença Alex, je me suis demandé si
l'assassin de Lauren était de Boston. J'ai pensé que
c'était peut-être quelqu'un qu'elle côtoyait dans le
milieu de la country. Quelqu'un de Branson. Ou de
Nashville.

— Hé, ne me regardez pas comme ça ! s'indigna

Walker. J'étais en tournée dans l'Ouest quand elle a été tuée.

– Oh, je… je ne songeais pas à vous.

– Je me souviens très bien du jour où notre manager m'a téléphoné pour me prévenir. J'étais abasourdi.

– Tous les deux… vous sortiez ensemble ?

– Non, on avait rompu quelques mois auparavant. Mais je tenais toujours à Lauren.

– Vous avez dit : « notre » manager.

– Oui, Cilla Zander, de Nashville, était notre impresario. C'est grâce à elle qu'on s'est connus. Au début, c'était la mère de Lauren qui lui servait d'agent.

– Tu le savais, Dory ?

Celle-ci haussa les épaules.

– Elle s'est toujours occupée de la carrière de Lauren. Il n'y avait que ça qui comptait pour elle.

La maquilleuse achevait son travail.

– Vous pouvez remettre votre chapeau, dit-elle à Walker.

– Merci, mademoiselle. Fermez la porte en sortant, s'il vous plaît. Les autres font un boucan d'enfer, ajouta-t-il gaiement. On en était où ?

– Lauren et vous avez été fiancés, n'est-ce pas ? questionna Alex.

Une fugace expression de tristesse passa sur les traits réguliers du chanteur.

– La presse à sensation, vous savez ce que c'est. Ils exagèrent toujours, ces gens-là.

– Vous n'étiez pas fiancés ?

– On se fréquentait. Disons les choses comme ça. Elle était toujours charmante, très agréable, mais je n'ai pas conquis son cœur. Lauren ne s'intéressait qu'à sa carrière. En fait, elle m'a rendu service en étant honnête avec moi.

– À quel propos ?

– Son ambition. Elle m'a avoué qu'elle n'aimerait jamais un homme autant qu'elle aimait la musique. C'était sans doute vrai.

– Vous ne pensez pas qu'il y avait... quelqu'un d'autre, rétorqua Alex.

– Non, dit Walker après réflexion. Je ne voudrais pas critiquer une morte, mais Lauren était un peu... froide. Elle ne pouvait pas se... s'abandonner. Vous voyez ce que je veux dire ?

Dory opina d'un air solennel.

– Notre rupture a été une chance pour moi. L'an dernier, j'ai rencontré la femme qu'il me fallait. On se marie l'été prochain.

– Félicitations, dit Dory. Vous avez eu de la veine d'être débarrassé de Lauren.

Walker sourcilla, Alex se hâta de changer de sujet.

– Y avait-il, à votre connaissance, quelqu'un dont Lauren était proche, à qui nous pourrions nous adresser ?

– En dehors de sa mère ?

– Des amis ? D'autres... relations ? Des musiciens peut-être ?

– Non. Elle n'était pas fidèle aux musiciens qui travaillaient pour elle. Être accompagnée par tel ou tel, ça lui était égal. Un jour elle m'a dit : « C'est moi que le public vient écouter, pas les musicos. »

– Ça lui ressemble bien, commenta Dory, acide.

– Et quand elle était chez elle, à Branson, comment vivait-elle ? poursuivit Alex.

Walker étendit ses jambes et joignit les mains sur sa nuque.

– C'était justement ça le plus triste. Elle consacrait tout son temps au travail. Elle habitait une jolie maison à Branson, mais il n'y avait que le jardinier et la femme de ménage pour lui tenir compagnie. Elle était très solitaire.

– Ce jardinier, cette femme de ménage… ils ont peut-être des renseignements à nous donner.

– Chez Lauren, c'était la valse des employés de maison. Ils la quittaient ou elle les virait. Personne ne restait jamais longtemps avec elle.

À ce moment, la porte de la loge s'ouvrit sur un jeune homme vêtu de cuir, un casque audio posé de traviole sur la tête.

– Quinze minutes, Walker !

Ce dernier se redressa.

– Mesdemoiselles…

– Merci infiniment de nous avoir reçues, dit Alex.

Walker Henley leur sourit.

– Je vous souhaite une bonne soirée.

Elles attendirent la fin du tour de chant de Walker pour reprendre la route. Alex était vidée, la journée avait été longue.

Elles roulèrent un long moment en silence. Ce fut Dory qui le rompit :

– On a perdu notre temps.

– Effectivement, on n'a pas beaucoup avancé. Mais il est sympa.

– Trop pour ma sœur.

– On pourrait suivre la piste du manager. Cilla Zander. Tu l'as déjà rencontrée ?

– Non, mais j'en ai entendu parler. Ma mère était furieuse qu'elle prenne en main la carrière de Lauren. Mais Lauren s'installait à Branson, et mon père refusait de déménager.

– Ta mère voulait la suivre ?

– Évidemment.

– Tu te rappelles l'époque où Lauren et Walker se fréquentaient ?

– Oui, elle l'a amené une fois à la maison.

– Je présume qu'à ce moment-là, ta mère ignorait que Lauren était gay.

– Sans doute. Elle préparait le mariage, grommela Dory.

– Ta sœur essayait de sauver les apparences. Elle a payé cher son succès. Vivre dans le mensonge…

– Personne ne l'y a obligée, rétorqua Dory.

– Tu en es certaine ? J'ai l'impression que le succès de Lauren était une obsession pour ta mère. Elle était même prête à s'exiler à Branson. Tu te rends compte ?

– N'importe quoi ! Lauren avait besoin d'être le centre de l'attention générale. Toujours à sortir sa fichue guitare, à tout bout de champ. « Vous voulez que je vous chante ma nouvelle chanson ? » minauda Dory, imitant sa sœur.

– Elle avait l'accent du Sud ?

– Elle l'avait pris, répondit amèrement Dory. Elle ne reculait devant rien.

Alex se tut un instant, puis :

– Elle n'avait quand même pas que des défauts ?

– Ben si.

Alex se remémora la chanson de Lauren *N'aimer que toi*, le portrait que ce texte brossait : celui d'une femme qui s'efforçait vainement de satisfaire sa mère, ses fans et son entourage. Une femme que nul ne connaissait vraiment.

– Tu me trouves horrible, hein ? Tu te crois bien meilleure que moi ?

– Non, pas du tout, répondit Alex, soudain lasse de la susceptibilité de Dory.

– Et tu me trouves sans doute cinglée, parce que je l'ai accusée d'avoir essayé de me chiper Rick Howland. Pourquoi elle aurait fait ça si elle était gay ? Eh ben, je vais te dire pourquoi. Par pure méchanceté. Elle se fichait complètement de faire du mal aux autres. Walker, par exemple. Il était prêt à l'épouser, alors qu'elle se servait de lui pour avoir l'air d'aimer les hommes.

Alex avait des élancements dans le dos, un début de migraine. Dory roulait vite, tout en crachant son venin. Brusquement, le mobile d'Alex sonna.

– Encore Seth ? ironisa Dory. Ce doit être agréable de se sentir aussi indispensable.

Mais, sur l'écran du téléphone, Alex lut le nom de l'inspecteur Langford de la police de Boston. Surprise, elle le prit en ligne.

– Comment allez-vous, mademoiselle Woods ?

– Mieux, merci.

– Je vous appelle car nous avons reçu les résultats des analyses pratiquées sur le morceau de foie découvert à votre domicile. J'ai jugé nécessaire de vous en informer. Il n'y avait aucune trace de poison, seulement un sédatif inoffensif.

L'estomac d'Alex se contracta.

— Vraiment ?

— Votre agresseur n'avait pas l'intention de tuer le chien. Il... ou elle... voulait simplement l'endormir un moment, le temps de mettre son plan à exécution.

Alex comprit parfaitement ce que l'inspecteur cherchait à lui dire. Elle ne répondit pas.

— Au vu de ce nouvel élément, nous avons décidé de demander une commission rogatoire afin de perquisitionner l'appartement des Colson. Il nous paraît important de fouiller de nouveau les lieux, de fond en comble.

— Je vois...

Dory lui jeta un regard suspicieux.

— Soyez sur vos gardes, mademoiselle Woods, conclut l'inspecteur.

26

REMUS, À LEUR ARRIVÉE, les accueillit avec enthousiasme. Dory s'accroupit et le câlina en lui murmurant des mots doux. Alex l'observait, fascinée, au bord de la nausée. Elle repensait aux révélations de l'inspecteur Langford. Un sédatif. Le moyen de calmer Remus sans lui faire de mal. Dory aurait-elle fait une chose pareille ? Sa sœur l'avait-elle agressée ?

Tout à coup, Alex avait le vertige. Elle ne savait plus que croire. Dory avait-elle tué Lauren, était-ce possible ? Elle haïssait Lauren.

– Qu'est-ce que tu as ? lui demanda Dory.

Alex sursauta.

– Rien. Je monte, je suis vannée.

– Vas-y.

– Bonne nuit.

Alex se réfugia dans sa chambre, ferma la porte à clé et coinça une chaise sous la poignée.

Elle se mit au lit sans se déshabiller, prit son mobile et le serra dans sa main. Elle avait une envie folle d'appeler Seth pour tout lui raconter. Lui dire qu'on l'avait poignardée, qu'elle était barricadée dans sa chambre, que celle qui l'avait peut-être agressée était dans la maison, en bas. Mais que pourrait faire Seth ? Elle l'angoisserait alors qu'il était dans l'incapacité de lui venir en aide. Ce serait odieux. Non, elle devait se débrouiller seule.

Elle chercha le numéro de Laney Thompson dans son répertoire, le composa et tomba sur la boîte vocale.

– Laney, c'est moi, Alex. Je suis un peu nerveuse depuis l'agression. S'il vous plaît, rappelez-moi quand vous aurez ce message. Je me sentirai mieux en vous sachant tout près, de l'autre côté de la rue.

Elle n'était pas plus avancée. Elle s'adossa à la tête de lit, essaya de réfléchir. Pas question d'avouer à Dory qu'elle la soupçonnait.

Mais pourquoi sa sœur aurait-elle commis un acte aussi irrationnel ? Elle ne s'était pas éprise de Seth au point de haïr Alex sous prétexte qu'elle le lui avait volé. Au point de vouloir la tuer. Une personne qui agirait de la sorte serait… démente. Alex frémit, se remémora les vitupérations de Dory dans la voiture. La violence de sa colère contre Lauren.

Il faut que je l'éloigne. Coûte que coûte. Que je mette de la distance entre nous, sans laisser transparaître mes soupçons. Demain, je lui dirai que, finalement, je n'ai pas besoin d'elle ici, que j'ai décidé de m'installer chez l'oncle Brian. D'ailleurs, c'est ce que je vais faire. Je resterai là-bas jusqu'au retour de Seth, j'y serai en sécurité.

Alex avait la sensation qu'un étau lui comprimait la poitrine, elle avait de la peine à respirer. Arrête, ne panique pas, se raisonna-t-elle. Si Dory avait voulu te tuer, elle aurait pu le faire hier. Dans la nuit. Que ton agresseur n'ait pas tenté d'empoisonner le chien ne signifie pas obligatoirement qu'il s'agisse de Dory. Des amoureux des chiens, il y en a plein les rues. Des gens qui ne feraient pas de mal à un toutou, mais n'hésiteraient pas à trucider leurs congénères.

Au fond, peut-être n'était-ce qu'un banal cambriolage qui avait mal tourné. Elle ne voyait personne, dans sa vie, susceptible de l'attaquer à coups de couteau. Qui aurait intérêt à éliminer Alex Woods ? Qui lui en voudrait suffisamment pour chercher à se venger ? En outre, si elle mourait, personne n'en tirerait profit. Elle n'avait même pas d'héritier à qui léguer la maison. Son notaire lui avait conseillé de rédiger un testament, mais elle ne l'avait pas encore fait. Cela ne lui semblait pas indispensable. Ses biens reviendraient probablement à son oncle Brian.

Ou… à Dory.

Soudain, on secoua la poignée de la porte. Alex poussa un cri.

– Qui est là ?

– À ton avis ? bougonna Dory.

– Qu'est-ce que tu veux ?

Pas de réponse.

– Dory ?

Silence.

Alex balaya la chambre d'un regard affolé. Impossible d'entrer autrement que par la porte, la fenêtre était beaucoup trop haute. Calme-toi, se dit-elle. Tu as ton téléphone, tu ne risques rien. Mais sa peur ne désarmait pas. Elle resta assise dans son lit, tout habillée, sans réussir à s'abandonner au sommeil.

L'aube arriva enfin. Alex n'avait pas bougé. Elle était exténuée, à cran. Laney Thompson ne l'avait pas rappelée, sans doute était-elle absente.

Cette nuit cauchemardesque était terminée, Dieu merci. Soudain, elle entendit du bruit. Plusieurs voitures s'arrêtaient devant la maison, des portières claquaient. Alex se leva vivement, et ce mouvement brusque lui arracha une grimace de souffrance. Cahin-caha, elle s'approcha de la fenêtre. Elle vit un véhicule noir et une voiture pie, deux hommes en civil suivis de deux policiers en uniforme.

Elle retira la chaise qui bloquait la porte, sortit de la chambre et descendit au rez-de-chaussée. Elle accueillit ses visiteurs avant qu'ils aient eu le temps de sonner.

– Mademoiselle Woods, lui dit l'inspecteur Spagnola. Vous avez l'air fatiguée.

– Je n'ai pas fermé l'œil. Je suis contente de vous voir.

– Nous devons parler à votre sœur. Elle est là ?

– Oui, à l'étage. Dory ! appela-t-elle.

Pas de réponse.

D'un geste, Spagnola intima aux policiers en uniforme de monter l'escalier, ce qu'ils firent à toute allure.

– Dernière porte à gauche, leur précisa Alex.

Ils attendirent, puis l'un des policiers cria :

– Y a personne !

À cet instant, Alex se rendit compte qu'elle n'avait pas vu Remus.

– Oh, elle a dû sortir le chien.

– Où va-t-elle en principe ?

– Du côté du parc, au bout de la rue.

L'inspecteur rameuta ses troupes, et leur ordonna de se lancer à la recherche de Dory et Remus. Dès qu'elle fut seule avec les inspecteurs, Alex leur demanda :

– Que se passe-t-il ?

– Nous arrivons de chez les Colson, expliqua l'inspecteur Langford. Nous avons perquisitionné leur appartement. Dans la chambre de Dory, sous le matelas, nous avons trouvé un couteau souillé de sang. Nous allons comparer ces traces avec l'échantillon de votre ADN prélevé ici même, afin de confirmer qu'il s'agit bien du couteau avec lequel on vous a frappée.

Alex chancela et s'appuya contre le mur.

– Oh, mon Dieu.

À cet instant, la porte du jardin s'ouvrit, livrant passage à Dory et Remus. Elle avait les joues roses, elle portait un bonnet de laine bleue, aux longs rabats ornés de motifs en jacquard de style nordique. On aurait dit qu'elle venait de patiner sur le Zuiderzee. Elle ôta sa laisse à Remus qui s'en fut au triple galop dans le couloir. Dory dévisagea sa sœur et les deux inspecteurs.

Spagnola lui tourna le dos et, collant un talkie-walkie à ses lèvres, murmura quelques mots.

– Pourquoi ils sont là ?

– Ils veulent te parler, répondit froidement Alex.

La curiosité, dans les yeux de Dory, se mua en angoisse.

– Pourquoi ?

– Ils ont des questions à te poser.

L'inspecteur Langford ordonna d'un geste à Alex de se taire.

– Laissez-nous faire, mademoiselle Woods.

– Des questions sur quoi ? C'est toi qui les as appelés ?

– Non.

– Nous avons prélevé divers échantillons ici même, après l'agression subie par votre sœur, et nous les avons fait analyser, intervint Spagnola. Ce qui nous a permis d'obtenir une commission rogatoire pour fouiller le domicile de vos parents, ce matin. Nous avons découvert un couteau dans votre chambre. Nous pensons que c'est ce couteau qui a blessé Mlle Woods.

– Non, il n'est pas à moi.

– Eh bien, suivez-nous. Vous pourrez nous exposer votre version des faits.

– Vous suivre où ?

– Au commissariat, en salle d'interrogatoire.

– Non, je viens pas ! s'écria Dory, pointant l'index vers la figure de l'inspecteur. Vous pouvez pas me coller ça sur le dos !

– Si vous ne venez pas de votre plein gré, nous serons contraints de vous mettre en état d'arrestation, déclara l'inspecteur Langford qui la prit par le coude.

Dory se dégagea brutalement.

– Lâchez-moi ! Dis-leur, toi, lança-t-elle, furibonde, à Alex. Dis-leur que j'ai pas fait ça. Tu le sais que je l'ai pas fait !

Alex avait le visage en feu.

– Vous ne nous laissez pas le choix, enchaîna Spagnola. Dorothy Colson, vous êtes en état d'arrestation pour tentative de meurtre sur la personne d'Alex Woods.

– Nooon ! hurla Dory.

Les deux inspecteurs l'empoignèrent et la traînèrent jusqu'à la porte. Alex recula. Elle ne voulait pas croiser le regard de Dory qu'on emmenait. Elle redoutait d'y lire de la haine et du mépris.

Pourtant, elle ne put s'empêcher de la regarder, et elle vit le visage d'une enfant terrorisée. Désemparée, sans défense, et abominablement seule.

27

Dans le salon de repos de Justice Initiative, au premier, Marisol Torres mangeait un yoghourt et une barre PayDay, aux cacahuètes et caramel, le tout arrosé d'un Orangina, en relisant les notes étalées sur une table en Formica. Alex resta plantée sur le seuil de la pièce meublée de bric et de broc. La réceptionniste, qui l'avait reconnue immédiatement, l'avait envoyée ici, mais à présent elle hésitait à déranger Marisol qui bataillait toujours sur tous les fronts.

– Puis-je vous aider ? lui demanda un jeune homme ébouriffé, aux airs de vieux sage.

– Non, je vous remercie.

En entendant cette voix familière, Marisol leva le nez. Un sourire éclaira son visage.

– Alex !

– Je vous embête, je suis désolée, dit Alex, penaude.

– Au contraire, je suis contente d'avoir un peu de compagnie. Asseyez-vous donc. Ne vous vexez pas, mais vous n'avez pas très bonne mine.

– Je ne vais pas très bien.

Marisol la regarda, attendant la suite.

– Dory, avoua Alex.

– Je vous préviens, on ne vous rendra pas votre argent, soupira Marisol, plaisantant à moitié – Alex avait fait un don généreux à l'association après la décision du procureur. Que se passe-t-il ?

– Vous êtes au courant, pour l'agression ?

Marisol tressaillit.

– Oh non… Une agression ?

– Ça a eu lieu chez moi. J'ai reçu plusieurs coups de couteau.

– Oh mon Dieu ! Oh non. Vous allez bien ?

– Oui, grâce au molosse prénommé Remus que Dory nous a ramené. Il a l'air féroce, mais c'est un bon chien. Grâce à lui, j'ai échappé au pire.

– On a pincé le coupable ?

– Les policiers en sont persuadés. Ce matin, ils ont arrêté Dory.

– Seigneur Dieu, gémit Marisol, plaquant une main sur son cœur. Vous me charriez. Dites-moi que vous me charriez.

Alex secoua la tête.

– Non, c'est vrai.

– Je suis tellement navrée, Alex. Vous saviez que c'était elle ?

– Je n'ai pas vu mon agresseur. Et je ne sais plus que penser. Les policiers ont découvert le couteau sous le matelas de Dory, chez les Colson.

– Mais pourquoi elle aurait fait une chose pareille ? Après tout ce que…

– Je ne sais pas… Elle était un peu jalouse, à cause de Seth, l'homme que je…

– Ah oui, le canon à lunettes qui était au tribunal. J'ai fait sa connaissance chez vous, après l'audience.

– Dory le trouvait à son goût, apparemment. Elle m'a demandé si j'avais un ami, et je lui ai répondu que non, parce qu'à ce moment-là, je n'en avais pas. Ensuite les choses ont évolué entre Seth et moi. Dory nous a surpris en train de nous embrasser, elle n'a pas apprécié du tout.

– Et elle vous a poignardée pour ça ? Vraiment, je suis désolée. Alors comme ça, quand Dory est dans les parages, personne n'a le droit de vivre un peu. Gare à vous si vous avez un amoureux. Oh, Alex… elle est irrécupérable. Beaucoup d'anciens détenus ne parviennent pas à s'adapter. Mais j'espérais qu'elle ferait des efforts. Depuis combien de temps est-elle dehors ? Une semaine ?

– Le problème, Marisol, c'est que cette histoire ne me convainc pas. Je veux dire que… Dory semblait un peu froissée. Mais pas folle de rage contre moi. Pas à ce point.

Marisol fronça les sourcils.

– Qu'est-ce qui vous prend ? Vous êtes du genre à tendre l'autre joue ?

– Quand ils l'ont embarquée, elle semblait… meurtrie.

– De s'être fait pincer une deuxième fois.

– Peut-être. Je ne sais pas. Je me demandais si vous accepteriez de la voir. Elle a grand besoin de l'avis d'un avocat.

– Je ne suis pas avocate, je vous le rappelle.

– Mais elle a confiance en vous. Et il lui faut quelqu'un pour la conseiller. Ne serait-ce qu'amicalement.

Marisol soupira de nouveau, secoua la tête.

– Où est-elle, en ce moment ?

– Ce sont les deux inspecteurs chargés de reprendre l'enquête sur le meurtre de Lauren qui l'ont emmenée.

– Dans ce cas, elle est sans doute au commissariat de Back Bay. Je passerai un coup de fil pour m'en assurer. Et j'irai la voir.

– Je peux vous accompagner ?

– Non, certainement pas. Vous êtes la victime.

– Oh… bon, d'accord. Vous trouvez sans doute que je suis dingue, mais si vous aviez été là… Dory était si désemparée. Elle avait l'air tellement perdu. Elle répétait qu'elle n'avait rien fait.

– C'est aussi ce qu'elle a dit la dernière fois. Écoutez, je ferai tout mon possible, ensuite je vous téléphonerai.

Alex rentra à la maison, se doucha, s'allongea sur le lit et, aussitôt, sombra dans un profond sommeil. Elle était épuisée par sa nuit blanche, mais aussi, elle devait l'admettre, elle se sentait plus en sécurité depuis l'arrestation de Dory. Sa sœur lui inspirait une inquiétude viscérale – peut-être parce qu'elle ne s'était pas délivrée de la crainte que Dory n'ait échappé au châtiment, pour l'assassinat de Lauren, que grâce à des pinaillages juridiques.

En tout cas, elle dormit comme une souche et ne se réveilla, revigorée, que vers quatre heures de l'après-midi. Elle s'affaira dans la maison, fit la lessive. Il lui fallait songer à reprendre le travail. Si elle comptait garder son job, pas question de rester plus longtemps en congé.

Elle sortit ses affaires du sèche-linge, les plia. Sa bonne humeur se dissipait peu à peu. Elle ne cessait, malgré elle, de revoir le visage de Dory lorsque les inspecteurs l'avaient emmenée. Cette pauvre figure d'enfant effrayée.

Stop, ne culpabilise pas. Tu as fait le maximum. Tu as même persuadé Marisol de l'aider. La situation, depuis le début, était inextricable. Le notaire, Me Killebrew, l'avait bien dit : « Ce n'est pas la sœur que votre mère souhaitait pour vous. »

Heureusement, Seth serait bientôt de retour. Elle lui avouerait son amour, et ils commenceraient ensemble leur nouvelle vie. Cet intermède avec Dory ne serait plus qu'un mauvais souvenir.

Elle décida de nettoyer la chambre d'amis que Dory avait occupée, comme pour effacer toute trace de sa sœur. C'était fini, maintenant. Il fallait tourner la page.

Elle entra dans la pièce, où régnait un indescriptible désordre. Le lit était défait ; on aurait cru qu'un troupeau de chevaux sauvages l'avait piétiné. Des papiers jonchaient le sol, comme si Dory avait visé la corbeille et manqué son but. Des bouteilles d'eau à moitié pleines traînaient çà et là, ainsi que des emballages alimentaires sur la table de chevet. Le sac en toile, ouvert sur le fauteuil, vomissait les quelques vêtements que Dory avait apportés. Ses chaussures gisaient au pied du lit. La télévision était allumée, le son coupé. Alex l'éteignit. Elle jeta un regard autour d'elle, poussa un lourd soupir. Elle avait supposé qu'une femme adulte rangerait sa chambre, mais à l'évidence, la prison n'avait pas fait de Dory une maniaque de la propreté.

Alex s'attela à la tâche, fourra les détritus dans la corbeille, vida les bouteilles d'eau dans le lavabo de la salle de bains attenante. Elle rangea les habits et les souliers dans le sac en toile. Dory en aurait-elle besoin ? Pas si elle se retrouvait derrière les barreaux.

Et cette fois, je ne paierai pas la caution, se promit Alex. Elle fut tentée de jeter le tout à la poubelle. Mais ce serait en quelque sorte condamner a priori sa propre sœur. Elle ferma le sac, qu'elle remisa au fond de la penderie.

Puis elle s'attaqua au lit. Elle aurait dû retirer les draps pour les laver, mais dans l'immédiat elle n'en avait pas la force. Ses blessures au dos, même si elles cicatrisaient bien, la faisaient souffrir. Elle secoua la couverture pour la plier et la replacer sur la courtepointe. Quelque chose en tomba.

Un petit éléphant en tissu fleuri, fané. À l'origine, il avait été rembourré avec du kapok, mais au fil des années le corps s'était complètement aplati. Il avait de grandes oreilles, des boutons en guise d'yeux.

Alex sentit ses genoux se dérober sous elle et fut obligée de s'asseoir sur le lit. Elle connaissait cet éléphant. Elle avait eu le même, exactement, quand elle était petite. Dans un autre tissu, mais le même modèle, cousu à la main. Son père le surnommait « l'éléphant gardien ». Elle l'avait conservé longtemps, peut-être était-il encore dans son coffre à jouets, au grenier. Elle savait parfaitement d'où il venait. On lui avait raconté l'histoire des centaines de fois. Sa maman l'avait fabriqué lorsqu'elle était enceinte d'Alex, d'après un patron qu'on lui avait donné naguère, en cours d'arts ménagers au lycée.

Manifestement, Catherine Woods avait confectionné le même éléphant pour Dory. Sans doute l'avait-elle mis dans le couffin quand elle avait confié son bébé à l'adoption. Dory ignorait probablement d'où venait son doudou. Pourtant, pour une raison qui défiait la raison, elle emmenait partout son éléphant, en secret, et dormait avec lui.

Alex consulta sa montre. Marisol ne l'avait toujours pas appelée. Serrant l'éléphant contre sa poitrine, elle lui laissa un message sur son répondeur, lui demandant de la contacter de toute urgence. Elle venait de raccrocher, lorsque le téléphone sonna. Marisol, enfin.

– Allô ?

– Ici Cilla Zander. Vous êtes Alex ?

– Oui...

– Je suis manager artistique, dit Cilla qui avait un accent du Sud marqué, langoureux et chantant. Je suis l'impresario de Walker Henley et, à une époque, je m'occupais de Lauren Colson.

– Je sais qui vous êtes.

– Oh, très bien. Walker m'a priée de vous appeler. Il m'a dit que votre sœur et vous étiez à Providence hier soir, qu'il avait fait votre connaissance.

– En effet. Il a eu la gentillesse de nous... recevoir.

– C'est un garçon adorable. Il pense que je peux peut-être vous aider.

– Ah oui ? rétorqua Alex avec circonspection.

– Vous vivez à Boston.

– Juste à quelques...

269

Mais Cilla, malgré son amabilité et sa voix douce, n'avait que faire des détails.

– Voilà, mademoiselle Woods : demain, je prends l'avion pour Portsmouth, dans le New Hampshire. Ils essaient de monter un festival d'été, et ils veulent trois de mes poulains. Il faut que je voie ça de plus près. Bref, Portsmouth n'est pas très loin de Boston. Une heure de route, environ.

– Oui, c'est à peu près ça.

– Si vous désirez que nous parlions de Lauren, vous pouvez me rejoindre. Je vous dirai où par SMS.

Alex n'avait aucune envie de se rendre dans le New Hampshire. Elle devait reprendre son travail. Et d'ailleurs, qu'y avait-il de plus à dire ? Dory avait tenté de la tuer. Elle avait, selon toute vraisemblance, assassiné Lauren. À quoi bon chercher à savoir ce qu'avait été l'existence de la chanteuse ? Les policiers ne s'étaient pas trompés en inculpant Dory du meurtre de sa sœur adoptive. Aujourd'hui non plus, ils ne se trompaient pas.

– Mademoiselle Woods, vous êtes toujours là ?

– Oui, répondit Alex qui baissa les yeux sur le petit éléphant.

– Je vous envoie l'adresse ? Vous souhaitez que nous nous rencontrions ?

– Oui, absolument, murmura Alex.

28

L E VOYAGE JUSQU'À PORTSMOUTH fut court et sans
embûches. Une fois franchie la frontière du
New Hampshire, il ne lui resta que quelques kilo-
mètres à parcourir pour atteindre le centre-ville et
le front de mer. Portsmouth jouissait d'un riche
patrimoine historique, amoureusement préservé
par ses habitants depuis la fondation de la ville. Ils
avaient ainsi entretenu de nombreux édifices de
cette époque qui tous fleuraient bon l'Amérique,
comme l'église en briques rouges, au clocher imma-
culé, qui se dressait sur la place principale. On
n'avait aucune peine à imaginer ces rues pavées,
enneigées, au temps où s'y pressaient les dames coif-
fées de charlottes en dentelle et les gentlemen per-
ruqués en redingote.

Cilla Zander avait rendez-vous avec les jeunes orga-
nisateurs du festival de musique au Lucky Toast.
Lorsqu'elle se fut garée, Alex repéra aisément le restaurant. Une limousine noire était stationnée devant,
le chauffeur en uniforme, avec gants et casquette,
s'appuyait contre la portière luisante. Sa présence
dans cette rue était totalement incongrue. Alex le

salua d'un hochement de tête et entra dans le restaurant.

Le décor était un extraordinaire déploiement de kitsch – chaises et tables de cuisine en Formica, de couleur vive, voisinaient avec d'autres couvertes de nappes en coton blanc piqueté de pommes ou de cerises imprimées. Sur chaque table brûlait une lampe dont le pied était, pour les unes, une danseuse de hula hawaïenne et, pour les autres, un cowboy de rodéo montant un cheval sauvage. Des cohortes d'affiches anciennes tapissaient les murs, il y avait du bois partout. Il se dégageait de l'ensemble une atmosphère chaleureuse et décontractée.

Au milieu de la salle était installé un groupe de clients aussi hétéroclite que le décor. Trois jeunes gens aux cheveux longs, en parka d'alpiniste et chaussures de randonnée, partageaient une table avec une femme bien en chair, parée d'un manteau de fourrure et d'un spectaculaire collier de perles. Ses cheveux aile de corbeau étaient expertement coupés pour encadrer un visage au teint crémeux, alourdi par un double menton. Elle était assise tout au bord de sa chaise de cuisine, avec beaucoup de prestance, ses yeux bleus scrutant ses interlocuteurs.

Alex s'approcha.

– Excusez-moi… je cherche Cilla Zander.

La femme en manteau de fourrure braqua sur elle un regard plein d'espoir.

– Mademoiselle Woods ?

Alex acquiesça. Prestement, Cilla Zander saisit son luxueux sac à main, resserra sa fourrure autour d'elle, et sauta littéralement sur ses pieds.

– Eh bien, chers amis, je suis au regret de vous

quitter, mais j'ai un autre rendez-vous qui m'attend. Je vous prierai de me préciser tous les points dont nous avons discuté, presto, si vous souhaitez que mes artistes envisagent de participer à votre festival.

– Comptez sur nous, mademoiselle Zander, dit le plus convenable des jeunes gens, qui se redressa et lui tendit la main.

Il avait le teint blafard, de jolis yeux, et des dreadlocks qui tombaient sur le col de sa parka. Cilla Zander considéra sa main tendue, comme si une araignée s'était logée au creux de sa paume. Elle n'ébaucha pas un geste.

– Vous vous rendez compte, j'espère, dit-elle d'une voix qui évoquait de l'acier enrobé de mélasse, que vous m'avez obligée à faire un long détour, alors que vous n'étiez absolument pas prêts pour cette réunion.

– Et on veut se rattraper, insista le jeune homme, la main toujours tendue. On est vraiment désolés de n'avoir pas répondu à toutes vos questions, mais le planning est encore à l'état d'ébauche. On vous donnera les réponses que vous exigez, je vous le garantis.

D'une main grassouillette, aux ongles superbement laqués, Cilla lui asséna une tape sur les doigts.

– Vous avez intérêt. Je n'aime pas qu'on me fasse perdre mon temps.

– Oui, mademoiselle, je comprends.

Cilla prit Alex par le le coude et l'entraîna vers la porte.

– Sortons d'ici, chuchota-t-elle. Ils ne servent même pas d'alcool, dans cet établissement. Une réunion de travail dans un restaurant qui n'a pas d'alcool au menu, je vous demande un peu. Lucky Toast… publicité mensongère, oui !

Tout en parlant, elle se dirigea vers un bar élégant, une centaine de mètres plus loin. Là, elle se laissa tomber sur une banquette. Alex s'assit sur une chaise en face d'elle, tandis que Cilla cherchait du regard une serveuse. Dès qu'elle eut passé sa commande, elle s'adossa à son siège et poussa un soupir.

– Je vous garantis qu'à mon bureau new-yorkais, des têtes vont tomber. Ils organisent ce rendez-vous sans même vérifier s'ils traitent avec des programmateurs dignes de ce nom. Inadmissible !

La serveuse, qui avait deviné la soif ardente de sa cliente, se hâta de lui apporter sa dose de Maker's Mark. Cilla s'en saisit, avala une lampée de whisky qu'elle savoura les yeux clos, avec volupté. Puis elle reposa son verre.

– Et maintenant à nous, Alex.

Celle-ci hocha la tête.

– Redites-moi quels sont vos liens avec Lauren ?

Alex, le plus succinctement possible, lui expliqua la situation.

– Vous êtes vraiment très aimable d'avoir accepté de me rencontrer, conclut-elle.

Cilla l'écoutait, sirotant son whisky. Brusquement, elle la regarda droit dans les yeux.

– Walker m'a dit que vous vous posiez des questions sur la vie personnelle de Lauren.

– Effectivement. La police a repris l'enquête. Ils interrogent de nouveau les personnes qui étaient dans les parages au moment du meurtre. Il m'est venu à l'esprit que les policiers ne s'étaient jamais intéressés à ceux qui faisaient partie de la vie de Lauren en dehors de Boston. À Branson, par exemple, ou à Nashville. Le père de Lauren m'a révélé qu'elle était gay, pourtant elle faisait tout pour le cacher. Cela aurait pu inspirer de la rancœur à quelqu'un.

– Ses parents savaient qu'elle était gay ? s'étonna Cilla.

Alex opina.

– Hmm… Sans doute que Lauren a fini par cracher le morceau. Car Elaine n'était au courant de rien, quand Lauren s'affichait au bras de Walker. Elaine me téléphonait sans arrêt, elle affirmait que, s'ils se décidaient, ce serait un mariage de conte de fées dans l'univers de la country. J'avais toutes les peines du monde à tenir ma langue.

« Je ne vais pas vous mentir, Alex. Si j'ai souhaité vous voir, c'est uniquement pour préserver mon investissement. Car c'est moi, voyez-vous, qui ai eu l'idée de "fiancer" Lauren et Walker. À cette époque, il n'avait pas de petite amie, et je savais pour Lauren – elle ne sortirait pas avec d'autres types. Or si un artiste a l'air de n'avoir personne dans sa vie, ce n'est pas bon pour son image. Les fans ont suffisamment de problèmes dans leur propre vie. Ils ont envie de croire que leurs idoles baisent à tour de bras.

Stupéfaite, Alex éclata de rire. Cette expression semblait totalement incongrue dans la bouche de cette femme si élégante et en apparence si convenable.

– Vous aviez prévenu Walker qu'elle était gay ? demanda-t-elle.

– Bien sûr que non ! s'exclama Cilla avec une grimace incrédule. Et justement, tout le problème est là. Il serait furieux, même maintenant, s'il découvrait le pot aux roses. Car jamais il ne se serait prêté au jeu. D'ailleurs, j'y suis allée sur la pointe des pieds. Je les ai présentés l'un à l'autre, en disant que je souhaitais accroître leur popularité et que, dans ce domaine, deux stars qui nouaient une relation… il n'y avait pas plus efficace. Je leur ai suggéré de se montrer ensemble, au moins en tant qu'amis.

– Le père de Lauren m'a dit qu'elle devait cacher ses préférences sexuelles à cause de sa carrière.

– Vous connaissez un peu la country ? Dans ce milieu, l'homosexualité est inconnue au bataillon. Sur ce point, j'aurais été d'accord avec le père de Lauren.

– Donc elle était gay, mais ne vivait pas son homosexualité.

– Oh ma chère, je suis sûre du contraire. Elle était adulte, n'est-ce pas.

– Vous avez connu une de ses amies ?

Cilla secoua la tête, acheva de vider son verre.

– Pas du tout, et je n'y tenais pas. Cela ne me regardait pas.

– Donc vous ne connaissez aucune des femmes avec qui elle était liée ? insista Alex, dépitée. Elle n'avait pas de compagne ou quelque chose comme ça ?

– Aux yeux du monde, Lauren vivait dans la solitude. Mais bien entendu, elle avait du personnel pour l'aider à entretenir sa maison.

Alex fronça les sourcils.

– Ce qui veut dire ?

– Que si vous avez une gouvernante qui habite sous votre toit, personne ne soupçonne rien.

– Même s'il ne s'agit pas réellement d'une gouvernante.

– Elles avaient des tâches à exécuter. Les courses, la cuisine, l'aspirateur une fois par semaine, et caetera. Mais elles n'étaient pas gouvernantes, rétorqua tranquillement Cilla.

– Et elle avait une pseudo-gouvernante, à l'époque de sa mort ?

– Oui, une jolie fille originaire de l'Alabama. Il m'a fallu la payer pour qu'elle ne coure pas vendre sa petite histoire aux tabloïds. Mais ne vous méprenez pas. Je sais exactement où elle se trouvait au moment où Lauren a été tuée.

– Où était-elle ?

– À Nashville. En désintoxication. Une cure que j'ai également payée.

– Oh…, murmura Alex, découragée.

– Il n'y avait qu'une personne à qui Lauren tenait vraiment, je crois. Leur histoire remontait à des années. Cela n'avait duré que six mois, mais Lauren en a eu le cœur brisé. Cette femme l'a quittée. Ce n'était pas une beauté pourtant, et elle était plus âgée que Lauren. Elle avait de longs cheveux noirs, et un adorable grain de beauté au coin de la bouche. Elle a débarqué un jour à Branson, elle s'est installée chez Lauren qui était aux anges. L'empêcher de clamer son bonheur sur les toits n'a pas été une mince affaire. Elle a d'ailleurs écrit plusieurs chansons sur leur rupture, qu'il a fallu retoucher pour qu'on ne comprenne pas qu'elle parlait d'une fille. Il me semble qu'elle s'appelait... Joy. L'ironie du sort, n'est-ce pas ? Joy, joie. Elle aurait plutôt dû s'appeler Tristesse.

29

ALEX AVAIT LE CERVEAU EN ÉBULLITION. Elle reprit la route de Boston, mit le cap sur le South End et se gara non loin de l'immeuble des Colson.

Elle ne croyait pas aux coïncidences. Elle tenait enfin le début de piste qu'elle cherchait. Certes, cela ne signifiait pas que Joy avait assassiné Lauren. Pourquoi l'aurait-elle tuée ? Néanmoins, un secret liait les deux femmes. Un secret potentiellement explosif. Alex avait besoin d'autres renseignements.

Elle sonna à la porte des Colson. Ce fut Elaine qui ouvrit.

– Vous êtes là, Dieu merci, dit Alex.

– C'est un jour férié pour les catholiques. Je ne travaille pas.

– Je voulais vous parler.

– Écoutez, ne venez pas vous plaindre. Je vous avais avertie, pour Dory, rétorqua Elaine d'un ton las. J'aimerais pouvoir dire que j'ai été surprise, quand les policiers ont découvert ce couteau dans sa chambre. Malheureusement cela ne m'a pas étonnée. Je suis navrée qu'elle vous ait agressée, mais je vous avais conseillé de vous méfier.

– Il ne s'agit pas de Dory, objecta Alex, une fois de plus sidérée par l'aversion tenace qu'Elaine avait contre sa fille. En tout cas, pas directement. Puis-je entrer ? Il faut vraiment que je vous parle.

Haussant les épaules, Elaine se dirigea vers le séjour. Une épaisse fumée sucrée saturait l'atmosphère. Alex avait manifestement interrompu la maîtresse de maison alors qu'elle faisait de la pâtisserie. Un gâteau refroidissait sur le comptoir encombré de divers ustensiles. La porte donnant sur le jardin était ouverte pour aérer la cuisine.

– Vous avez brûlé votre caramel ? demanda Alex.

– Je préparais un gâteau renversé à l'ananas pour le dîner en l'honneur du père Finnegan qui prend sa retraite, et j'ai loupé le caramel. Un désastre. Je ne comprends pas comment c'est arrivé, je connais cette recette par cœur. Maintenant il faut que je recommence tout. Ça m'embête, parce que la fête a lieu demain soir, et que c'est le dessert préféré du père Finnegan.

Alex embrassa du regard le séjour douillet, la cuisine qui embaumait malgré la fumée – l'image même d'un foyer heureux. Les responsables de l'orphelinat catholique qui avaient confié Dory aux Colson avaient dû estimer que ce foyer était le cadre idéal pour élever une enfant. À ceci près que la mère adoptive de Dory semblait incapable de donner à sa fille un amour inconditionnel – ce que ne compenseraient jamais tous les gâteaux du monde.

– Asseyez-vous, dit Elaine, désignant un haut tabouret devant l'îlot central de la cuisine. Je ne vois pas en quoi je peux vous être utile. Pourquoi vous a-t-elle fait ça ? Je l'ignore.

– Je ne suis pas là pour parler de Dory.

– De qui d'autre pourrions-nous parler, vous et moi ?

– De Lauren.

– Eh bien quoi ?

– Garth m'a dit que Lauren était gay.

Elaine, qui grattait le caramel cramé au fond d'une casserole, s'immobilisa. Un muscle tressauta sur sa mâchoire, comme si elle serrait les dents.

– Il n'y a rien à dire là-dessus. Cela ne vous concerne pas.

Mais Alex n'était pas décidée à se laisser démonter par le ton glacial de son interlocutrice.

– Je me demandais simplement si vous étiez au courant. Lauren vous l'avait avoué ?

– Évidemment, répondit Elaine, irritée. Vous pensiez que c'était une invention de mon mari ?

– Non, absolument pas. Mais c'est le genre de chose que les gens gardent souvent pour eux. J'imagine que ce n'est pas si facile d'avouer ça à sa mère. On doit craindre de la choquer. À moins que cela ne vous ait pas surprise ?

Elaine rinça la casserole, l'essuya soigneusement avec un torchon.

– Bien sûr que si. Je ne m'en doutais pas du tout. Vous avez vu les photos de Lauren, ajouta-t-elle, et elle pointa le doigt vers la porte du réfrigérateur. Elle était ravissante, très féminine. Je ne comprends toujours pas.

– Excusez mon indiscrétion, mais comment vous l'a-t-elle révélé ? Qu'est-ce qui l'a poussée à vous le dire ?

– En quoi cela vous regarde-t-il ? soupira Elaine.

Comment osez-vous débarquer chez moi et m'interroger sur ma famille, sur ce que j'ai de plus intime?

La pugnacité de cette femme ne manquait pas de panache.

– Je vous pose ces questions parce qu'on reprend l'enquête sur le meurtre de Lauren. Dory a été blanchie, mais jusqu'à l'arrestation du vrai coupable...

– Ça alors, je n'en reviens pas! Vous la défendez encore? Après ce qu'elle vous a infligé? Nous avons maintenant la preuve concrète de ce que la police pense depuis le début. Dory souffre d'une jalousie maladive, meurtrière.

– Et moi, je pense que la police n'a pas cherché plus loin que Dory. Or j'ai de sérieux doutes. Répondez-moi, s'il vous plaît. Quand avez-vous appris l'homosexualité de Lauren?

Elaine grimaça.

– Je déteste ce mot.

Un silence.

– Quand? reprit-elle dans un soupir. Tant qu'elle vivait ici, je n'ai pas eu le moindre soupçon. C'est cette histoire avec Walker Henley qui a tout déclenché. Ils se fréquentaient depuis longtemps. Je commençais à m'impatienter. Ils avaient l'âge de se marier, tous les deux. Je ne comprenais pas ce qu'ils attendaient. Je voulais m'atteler aux préparatifs du mariage. Lauren atermoyait. Plus j'insistais, plus elle me servait des prétextes ridicules. Un jour, il a bien fallu tirer les choses au clair. C'est là qu'elle m'a avoué la vérité. Elle a dit qu'elle ne sortait avec

Walker Henley que pour sauver les apparences. Parce qu'elle était gay. J'en ai été anéantie...

– C'était si grave que ça pour vous ?

– Vous verrez quand vous aurez des enfants, riposta Elaine d'un ton acerbe.

– Donc cette révélation a été pour vous un terrible choc.

– La tolérance, pour la plupart des gens, n'est que du politiquement correct. Quand il s'agit de votre fille, c'est une autre paire de manches. Mais... pourquoi ces questions ? Quel rapport avec tout le reste ?

Alex réfléchit un instant à la façon de présenter les choses.

– Aujourd'hui, j'ai eu une discussion avec Cilla Zander.

– Cilla Zander ! s'exclama Elaine. Quelle horrible bonne femme. Quoique, je ne devrais pas la critiquer, elle a fait décoller la carrière de Lauren. Mais je ne l'aime pas. Je n'aime pas sa manière d'être.

– Elle m'a expliqué que c'était elle qui avait incité Walker et Lauren à s'afficher ensemble. Ils étaient ses poulains. Ils avaient tous les deux besoin de publicité.

– C'est possible, je ne sais pas.

– Lauren avait-elle déjà eu des... aventures avec des filles, ici à Boston ?

– Non. Elle n'avait pas de temps pour ça. Elle était scolarisée à domicile, elle avait ses cours de musique, des auditions à passer. Elle se focalisait sur son avenir. Sa carrière.

– Quand elle était adolescente, il devait quand même y avoir quelqu'un dont elle était proche. Une amie...

– Elle n'avait pas besoin d'amis. J'étais là, moi. Nous étions aussi proches qu'une mère et sa fille peuvent l'être.

– Et la famille Ennis ? Chris et Joy...

– Ce sont nos voisins. Ils faisaient bien sûr partie de son petit monde. Lorsque Lauren suivait ses études secondaires, Joy avait déjà Therese. Ma fille montait parfois lui donner un coup de main. Pour se distraire. Mais elles n'étaient pas amies, pas vraiment.

– Et ensuite Lauren s'est installée à Branson.

Elaine soupira de nouveau.

– Sa carrière démarrait, on commençait à parler d'elle. Elle a engagé cette horrible femme comme manager, et elle est partie vivre dans l'Ouest.

– Cela a dû être dur pour vous.

– Ça n'a pas été facile. Je me suis adaptée.

– Vous aviez toujours Dory.

– Effectivement, on ne se débarrasse pas comme ça de Dory.

– Ne m'avez-vous pas dit que Joy avait quitté sa famille pendant un certain temps ?

– Je ne vous ai rien dit de tel ! s'énerva Elaine.

– Dans ce cas, c'est sans doute Dory qui l'a mentionné. Si je vous suis bien, vous affirmez que ce n'est pas vrai ?

– Non, je ne dis pas ça. Therese avait sept ou huit ans, quand Joy a décrété qu'elle avait besoin de se trouver. Elle est partie dans une espèce d'ashram en Californie. Elle y est restée six mois. Une épreuve épouvantable pour Therese. Et pour Chris. Je suis intervenue, j'ai essayé d'entourer la petite, le plus possible. Elle ne comprenait pas que sa mère puisse

284

l'abandonner de cette façon. Entre nous, je ne comprenais pas non plus. Depuis, notre maison est pour Therese un second foyer.

– Elle a eu de la chance que vous soyez là pour elle, marmonna Alex.

Elle examinait mentalement les pièces du puzzle. Joy quittait sa famille pour aller prétendument en Californie. Mais peut-être s'était-elle installée dans le Missouri.

– Pourquoi me posez-vous ces questions sur Joy ? Qu'elle ait fait une retraite de yoga il y a huit ans de ça... quel intérêt pour vous ?

Alex la dévisagea longuement.

– Je me demande si Joy s'est vraiment retirée dans un ashram.

– Où serait-elle allée, selon vous ?

– Rejoindre Lauren, peut-être.

– C'est grotesque !

– Vraiment ?

– Évidemment ! Joy n'est pas gay, elle est mariée.

Alex soutint le regard d'Elaine, y perçut de l'incertitude. Puis une soudaine curiosité.

– Cilla Zander m'a raconté que Lauren avait vécu quelques mois, à Branson, avec une femme qui se prénommait Joy. Une brune avec un grain de beauté au coin de la bouche.

Elaine resta un moment silencieuse.

– Non, c'est impossible. Je l'aurais su.

– Pourquoi Cilla Zander mentirait-elle ?

Elaine essuya ses mains blanches de farine.

– Je l'ignore. Mais je vais vous dire une chose : je n'apprécie pas que vous vous perdiez en conjectures sur l'intimité d'une femme que vous ne connaissez pas.

– Je ne me perds pas. Je me demande qui, à part Dory, aurait pu être furieuse contre Lauren. Suffisamment pour la tuer.

Soudain, elles entendirent le bruit d'une porte qui se refermait.

– Qu'est-ce que c'était ?

Elaine la regarda, elle semblait éreintée.

– La porte du jardin. Le vent l'a fait claquer, sans doute. Dites-moi... où allez-vous pêcher des idées pareilles ?

– Je pars du principe que ma sœur pourrait être innocente.

Elaine leva les mains, comme pour crier : Stop !

– Plus un mot. J'en ai assez de vos accusations nauséabondes, sortez de chez moi.

Alex descendit du tabouret.

– Si c'est ce que vous voulez, d'accord.

Elaine gagna le séjour et ouvrit la porte-fenêtre à présent close.

– Vous n'avez qu'à passer par là. Je vous prie de ne jamais revenir.

Alex traversa la terrasse et gravit les marches sans un regard en arrière. Elaine refusait de penser à Lauren et Joy comme à un couple. Mais Alex sentait qu'il y avait là un secret susceptible d'avoir causé de terribles problèmes. Simplement, elle ne savait pas comment en obtenir la preuve.

Elle s'engouffra dans sa voiture. Elle allait démarrer lorsque son mobile sonna. Le numéro inscrit sur l'écran ne lui était pas familier.

– Alex, c'est moi. Dory...

– Que veux-tu ?

– Je suis à la prison du comté de Suffolk. Tu peux venir ?

– Je ne suis pas sûre d'y être autorisée.

– S'il te plaît, Alex, ce n'est pas moi qui t'ai poignardée. Je ne te ferais pas ça.

– On a pourtant découvert le couteau sous ton matelas.

– Ce n'est pas moi qui l'ai mis là, répondit Dory avec indifférence, comme une enfant récitant un texte appris par cœur. Je n'ai jamais eu ce couteau entre les mains. Écoute, je peux avoir des visites de quinze heures trente à dix-sept heures. Tu viendras ? Il y a des choses que je veux te dire face à face.

– Bon, je viendrai.

Alex raccrocha, vérifia l'adresse de la prison sur son iPhone. Nashua Street. Elle savait où c'était. Elle démarra.

30

LA PRISON DU COMTÉ de Suffolk se logeait dans un bâtiment récent du centre de Boston, non loin du front de mer. Alex se présenta à l'entrée des visiteurs et se plia aux formalités d'usage. Je finirai par connaître tout ça sur le bout des doigts, songea-t-elle. On l'introduisit dans le parloir, et elle attendit Dory.

Celle-ci apparut au bout de quelques minutes, traînant les pieds. Alex sursauta en la voyant. Dory avait un teint de cendre, les épaules voûtées, le regard terne et désespéré. Tête basse, elle s'assit.

– Tu vas bien, Dory ?

– Si je vais bien ? Tu vois où je suis ?

Dory jeta un coup d'œil à la salle bruyante, aux murs de béton peints en vert, aux minuscules fenêtres découpées à quelques centimètres du plafond et qui ne laissaient filtrer que de maigres filets de lumière.

– Je peux aller bien, à ton avis ?

– Oui, c'est horrible, je sais. Que t'a conseillé Marisol ?

– De me taire. De ne rien leur dire qu'ils puissent utiliser contre moi.

Alex scruta le visage de sa sœur.

– Et tu aurais à dire quelque chose de ce genre ?

– Non, murmura Dory sans même s'insurger. Je ne t'ai rien fait. Maman pense le contraire. Elle ne me croit jamais.

– C'est dur à encaisser, je m'en doute.

– Mais toi, tu me crois ? demanda Dory, puis elle agita une main molle. Oh, laisse tomber. Aucune importance.

– Si, c'est important. Je ne pense pas que tu sois coupable. Seulement voilà : ce couteau était bel et bien sous ton matelas.

– On se fiche éperdument de ce que je peux dire, marmonna Dory, comme si elle n'avait pas écouté Alex. On me colle tout sur le dos.

– Il te faut suivre les recommandations de Marisol. Tu t'en sortiras.

– Non... quoi que je fasse, je finirai comme ça. Toute seule. Dans une cellule. J'ai plus envie de me battre. C'est... mon destin.

– Mais non, voyons.

– Tu ne sais pas.

– Quoi donc ?

– Rien. Laisse tomber.

– Dis-moi, insista Alex. À quoi penses-tu ?

Dory tourna vers elle des yeux hagards.

– On ne veut pas de moi. Personne ne veut de moi.

– Allons, tu ne peux pas...

– Voilà ce que je suis, l'interrompit Dory. Quelqu'un dont on ne veut pas. À commencer par ta mère. Le jour de ma naissance.

Alex faillit protester, en mémoire de sa mère, mais elle comprit soudain qu'elle n'en avait pas le droit. Elle savait pertinemment que, pour sa mère, le problème ne s'était pas posé dans ces termes. Néanmoins la question n'était pas là. Le rejet était au cœur de la vie de Dory, il n'y avait pas de mots pour l'apaiser. Lui dire que sa réalité n'était pas la vérité serait une humiliation supplémentaire.

Taraudée par une pénible sensation de déjà-vu, Alex avait de la peine à soutenir le regard de sa sœur.

– Dory, quand tu m'as demandé de venir, j'ai eu l'impression que tu avais quelque chose de particulier à me dire.

Dory plissa le front, comme si elle luttait pour se souvenir.

– Ah oui... je voulais te dire que je suis désolée. Vraiment désolée que tu aies été blessée. Je regrette aussi qu'on n'ait pas eu l'occasion de se connaître mieux.

– Tu n'en es pas responsable. Nous nous sommes rencontrées dans des circonstances... peu favorables.

Dory acquiesça, les yeux baissés. Tout son corps paraissait affaissé.

– Quand même, bredouilla-t-elle. C'était une espèce de deuxième chance, et ça n'a pas marché...

– Il n'est pas trop tard.

– Si.

Dory secoua la tête avec désespoir ; son expression fit tressaillir Alex – elle avait vu la même sur son propre visage, le jour où on lui avait annoncé la mort de ses parents. Ce jour-là, elle avait eu le sentiment que la vie n'était qu'une cruelle plaisanterie, et qu'elle n'avait plus la moindre raison de continuer.

– Tu me parais terriblement déprimée, murmura-t-elle.

Dory ne protesta pas. Elle ne répondit même pas.

– On ne te donne pas de médicaments ? Pas d'antidépresseur ?

– Je ne suis pas dépressive.

– Personne ne te reprocherait de l'être.

– Je ne le suis pas. J'accepte. Il faut bien que j'accepte.

– Ne renonce pas à l'espérance. Tu sortiras d'ici, j'en suis persuadée. Tu dois t'accrocher.

– Tu sais pourquoi je t'ai demandé de venir ? Au cas où je ne te reverrais pas, je voulais te dire adieu.

– Ne parle pas comme ça !

– J'ai juste dit : au cas où, répondit Dory, tout bas.

– Moi, je te répète de ne pas baisser les bras. La partie n'est pas terminée. D'accord ?

Dory se releva et posa les doigts sur la main d'Alex.

– D'accord.

Puis elle se détourna. Alex la regarda s'éloigner, la peur au ventre. Elle savait ce qu'était la dépression. Elle avait bien failli y sombrer durant les derniers mois. Mais tout au fond d'elle, même aux pires moments, elle avait la certitude que la douleur s'atténuerait, que le bonheur reviendrait. Elle craignait fort que Dory ne possède pas cet équilibre fondamental, cette confiance viscérale. Comment serait-ce possible, alors qu'elle portait au fond d'elle-même une enfant abandonnée ?

Le gardien s'approcha, tapota sa montre de l'index. Alex sortit du parloir. Il y avait deux surveillants à l'accueil. Alex les observa en attendant son tour, dans la file des visiteurs. L'un d'eux était un gigantesque Noir moustachu, à l'air bourru. Son nom figurait sur son badge : S. Robinson. L'autre était blanc et obèse, les cheveux en brosse, les yeux chassieux. B. Witkowski.

Elle atteignit enfin le guichet. Witkowski, le front laqué de sueur, lui jeta un coup d'œil indifférent.

– Oui...

– Je m'appelle Alex Woods. Je viens de rendre visite à ma sœur, Dory Colson. Elle me paraît très déprimée.

– Ici, tout le monde est déprimé.

– Je crois qu'il faudrait que quelqu'un la voie.

– Quelqu'un ? répéta-t-il, sarcastique. Qui ça ?

– Un psychiatre, par exemple. Je pense qu'elle a besoin d'un traitement. J'ai peur qu'elle essaie de... qu'elle fasse une bêtise.

– Elle peut pas. On les surveille.

– Elle m'a dit adieu, insista Alex. Comme si elle avait décidé de...

– Le psy vient une fois par semaine. Elle pourra le voir mardi prochain.

– On ne peut pas attendre si longtemps. Mardi prochain, il sera peut-être trop tard ! s'insurgea Alex.

Tout à coup, elle comprit pourquoi sa conversation avec Dory avait provoqué chez elle cette sensation de déjà-vu. Elle se remémora ce que lui avait raconté son oncle Brian au sujet du père de Dory, Neal Parafin – désespéré d'être abandonné, il s'était tiré une balle dans la tête.

– Il y a eu des suicides dans sa famille, déclara-t-elle d'un ton sec.

– Ma p'tite dame, ici on est pas dans un centre de cure thermale. On fait les choses en temps et en heure.

– Quelles que soient les circonstances ? riposta Alex.

– C'est le règlement.

Alex perdait sa salive, rien n'impressionnerait ce surveillant. Il avait son opinion sur les personnes incarcérées, il n'en changerait pas et n'était pas près de se laisser aller à la compassion – ce qui, à sa décharge, serait un puits sans fond. Alex se tourna d'un air implorant vers son collègue, S. Robinson.

– Je vous en prie, monsieur, elle s'appelle Dory Colson. Pourriez-vous trouver un médecin pour l'examiner ? Je sais bien que tous les détenus sont déprimés, mais elle me paraît très mal en point.

– Pourquoi vous vous adressez à lui ? s'énerva Witkowski.

– Quel est son nom, vous dites ? demanda Robinson.

– Dory Colson. Et moi, je suis Alex Woods. Je vous donne mes coordonnées.

Elle les nota sur un bout de papier qu'elle tendit à Robinson. Il le prit.

– Je le transmettrai au toubib quand il viendra, mardi.

Witkowski éclata de rire.

– C'est un être humain ! s'écria Alex qui tremblait de rage. Elle est en prison, d'accord, mais cela ne donne à personne le droit de la traiter comme un chien. Je vous jure que s'il arrive quoi que ce soit à ma sœur, je vous en tiendrai tous les deux responsables.

Les paupières de Witkowski clignèrent sur ses yeux de lézard.

– Me menacez pas, ma p'tite dame.

Alex ne recula pas d'un pouce.

– Faites attention à ma sœur !

Elle regagna sa voiture, s'assit au volant. Sa colère contre les surveillants ne désarmait pas. Elle s'obligea à réfléchir. Pourquoi ne pas contacter les inspecteurs qui enquêtaient sur le meurtre de Lauren ? Elle leur parlerait de Joy et pourrait leur demander d'intercéder pour Dory. Cela valait la peine d'essayer.

Elle composa le numéro de Spagnola, tomba sur son répondeur.

– Inspecteur, je… c'est Alex Woods. Je viens de rendre visite à ma sœur en prison, je l'ai trouvée extrêmement déprimée. Tout le monde s'en lave les mains, alors je me suis dit que, peut-être, vous pourriez intervenir. De plus, je crois avoir un renseignement utile sur l'assassinat de Lauren. Une piste à explorer, en tout cas. Je vous serais reconnaissante de me rappeler dès que vous aurez ce message.

Elle raccrocha et resta immobile, perdue dans ses pensées. Puis elle composa un autre numéro. Cette fois, elle eut de la chance.

– Alex ?

– Bonjour, Seth.

– Tu as une petite voix. Que se passe-t-il ?

– Tu as quelques heures à perdre ?

– Pour toi, j'ai tout le temps du monde.

Alex poussa un lourd soupir.

– Je sors de la prison du comté de Suffolk.

– Qu'est-ce que tu faisais là-bas ?

– J'ai rendu visite à Dory.

– Dory est de nouveau incarcérée ? s'exclama-t-il. Pourquoi ?

– On pense que c'est elle qui m'a poignardée.

– Poignardée ? Seigneur Dieu. Mais c'est quoi, cette histoire ? Tu vas bien ?

– Oui, ça va. J'ai quelques points de suture, mais ça va.

– Pourquoi Dory t'a-t-elle fait ça ?

– Je ne suis pas sûre que ce soit elle.

– Et tu ne m'as rien dit ! Mais pourquoi ?

– Je ne voulais pas que tu précipites ton retour. Je sais que tu as beaucoup de choses à régler.

– Rien d'essentiel, objecta-t-il, fâché. Je peux toujours revenir ici pour tout boucler. S'il t'arrivait… quelque chose, cela n'aurait de toute façon plus aucune importance.

Alex esquissa un sourire.

– Merci.

– Tu dois tout m'expliquer.

– Oui, je sais.

– Je ne te gronde pas, dit-il tendrement. Mais apprendre que tu as été blessée et être ici… je me sens tellement impuissant. Où cela s'est-il passé ?

– À la maison.

– Et c'est Dory qui t'a frappée.

– La police le pense.

– Pas toi ?

– Je... je n'en suis pas convaincue.

– Tu n'as donc pas vu la personne qui t'a attaquée.

– Non.

– Mais tu es allée rendre visite à Dory en prison,
fit-il remarquer, incrédule.

– Elle est dépressive, Seth. Et à la prison, ils s'en
fichent éperdument. Je m'inquiète.

– Elle a de quoi être dépressive, rétorqua-t-il
abruptement.

Alex garda le silence. Elle sentait qu'à l'autre
bout du fil, Seth s'efforçait de raisonner, de modifier son point de vue.

– Écoute, je vais partir ce soir. De toute manière,
je préfère conduire de nuit. Dès mon arrivée, je
t'accompagnerai à la prison et nous ferons en sorte
qu'on la soigne.

– D'accord...

– Essaie de ne pas te faire trop de souci.

– Je m'en fais pour toi. Conduire de nuit...

– Tout ira bien. Demain, je serai près de toi.

– J'ai hâte... Je me sens déjà mieux.

– Alors, à demain.

Il ne lui avait pas redit qu'il l'aimait, mais, évidemment, elle non plus ne lui avait pas avoué son
amour. Demain, se promit-elle.

– Sois prudent sur la route, murmura-t-elle, et
elle raccrocha.

La lumière faiblissait quand Alex se gara dans
l'allée. Au ras des arbres se déployait la vibrante
palette de pourpre, de gris et d'orange d'un

crépuscule hivernal. Elle était contente de rentrer à la maison.

Ralentie par la fatigue, elle sortit de la voiture, déverrouilla la porte d'entrée. Le silence qui l'accueillit lui parut délectable. Puis, brusquement, elle se rendit compte que ce silence n'était pas normal.

– Remus ?

Pas de jappements de joie, pas de galopade dans le hall, pas de chien tourniquant autour d'elle en quête de caresses. Une coulée de glace s'insinua dans le cœur d'Alex.

– Où es-tu, mon grand ?

Pas de réaction.

Serait-il en train de ronfler comme un sonneur ? Non… Même profondément endormi, le jeune chien qu'il était aurait perçu le bruit de la voiture, le pas d'Alex sur le perron, le grincement de la porte.

– Remus, murmura-t-elle.

Elle s'avança, résolue à faire le tour de la maison. Elle hésitait avant de franchir le seuil d'une pièce ; quand elle constatait qu'il n'y était pas, elle reprenait espoir un bref instant jusqu'à ce que, la gorge nouée, elle se dirige vers la pièce voisine, allume la lumière. À mesure que les secondes s'égrenaient, elle redoutait de le découvrir gisant sur le sol, mort ou moribond.

Ne pense pas à ça, s'admonesta-t-elle. Il va bien. Ce n'est qu'un tout jeune chien. Peut-être qu'il a réussi à sortir quand le facteur a déposé le courrier. Peut-être que Laney est venue et l'a laissé s'échapper par inadvertance. Peut-être qu'il gambade dehors.

Mais au tréfonds d'elle-même, Alex savait bien que

personne n'aurait laissé Remus filer comme une flèche sans tenter de le récupérer.

Il y avait forcément une autre explication. Arrête de penser qu'il est mort, se répéta-t-elle

Pièce après pièce, elle explora le rez-de-chaussée, sans cesser d'appeler Remus, en vain. Elle ouvrit la porte de derrière et sortit sur la véranda, frissonnante. L'obscurité se répandait dans le jardin, et Remus avait le poil sombre, pourtant Alex distingua aussitôt son corps couché sur les marches. Inerte, muet.

– Remus ! s'écria-t-elle.

Elle tomba à genoux près de lui, posa la main sur sa fourrure douce et luisante. Il lui sembla toucher de la pierre.

– Remus, gémit-elle.

Ce fut à cet instant qu'on la frappa à la tête. Elle s'écroula sur le sol près de son chien.

31

LORSQU'ELLE REPRIT CONSCIENCE, elle était dans la cuisine, sur l'une des chaises en bois peintes dans des tons joyeux. Pieds et poings liés. Joy, debout devant elle, l'observait.

– Joy... mais qu'est-ce que..., bredouilla Alex – son cœur se mit à cogner dans sa poitrine.

Elle battit des paupières, focalisa son regard sur le visage de Joy. Le grain de beauté niché entre ses lèvres et la fossette qui lui creusait la joue. La chevelure coupée à hauteur de la mâchoire, une masse de boucles rebelles qui commençait à grisonner mais n'en demeurait pas moins une superbe toison. Les yeux d'un brun liquide, mélancoliques. Les vestiges d'une beauté ravageuse.

– Je suis désolée, dit Joy.

– Désolée ? Vraiment ? Alors détachez-moi.

Joy secoua la tête d'un air de regret, saisit un pistolet sur le comptoir derrière elle et, le tenant à deux mains, le braqua sur Alex qui ravala un cri.

– J'ai dû m'en servir pour me débarrasser de Remus. La dernière fois, il m'a trop compliqué les choses.

– La dernière fois, répéta Alex d'une voix rauque, chevrotante.

– Tout à l'heure, il n'arrêtait pas d'aboyer, il aurait ameuté le quartier. Et je ne vous parle même pas de ça, ajouta Joy, montrant une morsure à son avant-bras.

– Mon Dieu. Comment avez-vous pu ?

Joy haussa les épaules.

– Il le fallait.

– Comment avez-vous pu tuer un chien ? s'insurgea Alex, au bord des larmes. Il était aussi innocent qu'un petit enfant.

– Mais je ne ferais pas une chose pareille ! Jamais de la vie.

Alex, partagée entre l'incompréhension et le soulagement, regarda fixement l'arme de Joy.

– Oh, ça ! Ce n'est pas une arme à feu, c'est un pistolet tranquillisant. En plastique. Il tire des fléchettes. Ça s'achète sur Internet. Je m'en suis juste servie pour droguer le chien. Le mettre KO. Après que je vous ai assommée, je l'ai traîné jusqu'à l'appentis, dans le jardin, où je l'ai enfermé. J'espère qu'il ne se réveillera pas avant un bon moment.

– Vous m'avez assommée avec un pistolet en plastique ? demanda Alex.

– Non, avec ça.

Joy désigna du menton, sur la gazinière, une poêle à frire en fonte.

– Mais pourquoi ? balbutia Alex qui se sentait à deux doigts d'éclater en sanglots. Pourquoi Remus ? Pourquoi moi ?

– Il le fallait, je suis désolée. Votre chien a bien

302

failli me déchiqueter, l'autre soir quand j'étais dans le cellier.

– C'était donc vous.

– Eh oui.

– Ça ne vous a pas suffi ? Pourquoi ? Qu'est-ce que je vous ai fait ?

À cet instant, le mobile d'Alex sonna. Joy posa le pistolet sur le comptoir, extirpa le téléphone de la poche d'Alex, lut le nom inscrit sur l'écran. Elle grimaça, parut peser le pour et le contre. Puis elle approcha l'appareil de l'oreille d'Alex.

– Parlez-lui normalement. Attention à ce que vous racontez.

Elle prit la poêle, la tint au-dessus de la tête de sa prisonnière, d'un air de dire qu'elle n'hésiterait pas à l'estourbir de nouveau.

– Allô ? articula Alex.

– Spagnola. Vous m'avez appelé ? Mademoiselle Woods ?

– Oui, je suis là.

– J'ai eu votre message. Vous vous inquiétez pour Dory ? Je vous avoue que ça me surprend. On l'a arrêtée parce qu'elle vous a agressée.

Elle aurait voulu lui crier : ce n'est pas Dory, mais cette folle qui, en ce moment même, me tient en son pouvoir. Mais elle fut incapable de dire un traître mot. Elle était obnubilée par la présence de Joy, immobile à son côté, sa main qui tenait le téléphone, la poêle au-dessus de sa tête. Il émanait du corps de Joy une odeur d'animal effrayé.

– Mademoiselle Woods ? Ça ne va pas ?

– Dory…, répondit-elle d'une voix étranglée. Elle

a besoin de voir un psychiatre. Elle a besoin d'un traitement.

– Ça ne dépend pas de nous. Je vais voir ce que je peux faire, mais ça relève de l'administration pénitentiaire. Dans votre message, vous disiez que vous souhaitiez aussi me parler d'autre chose. De quoi s'agit-il ?

La poêle bougea.

– Je ne peux pas vous en parler maintenant, murmura Alex qui perçut la panique dans sa voix.

Joy coupa brusquement la communication, jeta le mobile par terre et le piétina.

Pourquoi n'ai-je pas prononcé son nom ? se reprocha amèrement Alex. Mais il était trop tard. Son cerveau fonctionnait encore au ralenti, à cause du coup que lui avait asséné Joy – qui n'hésiterait pas à la frapper encore si elle le jugeait nécessaire.

– D'accord, bredouilla Alex. D'accord… Ne vous énervez pas.

– Vous n'auriez pas dû vous mêler de tout ça.

Joy reposa la poêle sur la gazinière. Elle tourna le dos à Alex et se mit à tripoter l'un des brûleurs.

Alex embrassa du regard la cuisine où elle avait passé tant de moments heureux après l'école, à bavarder avec sa mère, à dévorer son goûter. Ou à boire le thé avec son père. Ici elle était à l'abri de tout. Autrefois. C'était si loin et cela n'existerait plus jamais.

– Je sais pourquoi vous m'avez poignardée, dit-elle. Pour qu'on accuse Dory.

Joy soupira, se retourna vers elle.

– Vous avez raison. Tant qu'elle purgeait sa peine pour le meurtre de Lauren, je ne risquais rien.

Quand elle a été libérée, j'ai dû faire en sorte qu'on la renvoie derrière les barreaux. Il fallait que cessent ces investigations sur la mort de Lauren.

– Parce que vous aviez peur que la police découvre que vous étiez l'amante de Lauren. Et en déduise que vous étiez aussi sa meurtrière.

– Je ne l'ai pas tuée, dit Joy d'un ton las.

– À d'autres… Ne le niez pas, c'est stupide.

Soudain, Joy eut les yeux brillants de larmes, à la stupéfaction d'Alex.

– Je ne l'ai pas tuée. C'est Therese.

– Therese ? répéta Alex, sidérée. Votre fille ?

Joy acquiesça, baissant la tête.

– La fragile petite Therese ?

– Elle est plus forte qu'elle n'en a l'air. Surtout quand elle est en colère.

– Mais elle n'était qu'une enfant lorsque Lauren est morte.

– Elle avait quatorze ans.

– Comment est-ce arrivé ?

– Autant que vous le sachiez, murmura Joy en essuyant ses larmes. Ce jour-là Therese est passée voir Elaine. Elle est entrée par la porte du jardin, comme toujours. Comme hier, quand elle vous a entendue parler de moi. Ce fameux jour, c'est Lauren qu'elle a entendue m'implorer de retourner à Branson avec elle. Elle me disait que nous deux, c'était merveilleux, que tout recommencerait comme avant. Elle s'est mise à évoquer certains de nos souvenirs, à m'embrasser.

« Voyez-vous, il y avait chez Lauren une chose à laquelle je n'ai jamais pu résister. Même quand elle n'était qu'une adolescente et qu'elle montait passer un moment avec moi. Il émanait d'elle une intensité irrésistible. Elle était si solitaire, si désespérée. Elaine ne la laissait pas respirer. Avoir une liaison avec elle était insensé, j'en avais conscience, mais… Lauren était une séductrice. Son départ pour Branson a été un soulagement. Mais elle me suppliait de la rejoindre. J'ai fini par céder. J'aime Chris. Sincèrement. Et j'avais toujours été loyale. Malheureusement, le désir est parfois une sorte de folie.

« Bref, ce jour-là, quand elle m'a embrassée, j'ai senti que je retombais sous le charme. Je crois que, toutes les deux, nous nous sommes laissé emporter. Je n'avais pas l'intention de repartir avec elle. Mon absence avait été trop douloureuse pour Therese. Seulement… j'ai dû dire à Lauren que oui, je la suivrais. Je ne le pensais pas vraiment. J'ai dit ça dans la fièvre du moment.

« Mais Therese, qui nous épiait, a perdu la tête. Elle est entrée comme une furie, elle a saisi un couteau et elle a frappé Lauren. J'étais épouvantée. Elle paraît si frêle, n'est-ce pas ? Ce jour-là, elle était frénétique, incontrôlable. Ça m'a tétanisée. Lauren ne parvenait pas à se dégager. Elle était affaiblie par son opération. Elle n'a pas eu l'ombre d'une chance.

« C'est ma faute. Therese avait tellement souffert… Elle a cru que ça allait recommencer.

– Mon Dieu… Pauvre gamine.

– Je ne me doutais pas qu'elle était capable d'un acte pareil. Elle ne s'en doutait pas non plus, d'ailleurs. Enfin, je crois.

– Et comment vous avez réagi ?

– Je l'ai fait sortir de là en vitesse. On est montées au premier. Je l'ai nettoyée et puis on a quitté l'immeuble. On n'est revenues que tard le soir.

– Vous n'avez donc pas levé le petit doigt pour disculper Dory.

– Je ne pensais qu'à Therese. J'ignorais que Dory allait être arrêtée. Mais n'essayez pas de me culpabiliser, je me sens assez mal comme ça.

Tout à coup, Alex comprit ce que Joy fabriquait devant la cuisinière. Elle flairait une odeur de gaz.

– Joy, pour l'amour du ciel, non ! Éteignez le gaz.

– Je n'ai pas le choix. Je dois protéger Therese. Les choses ont dérapé. Il faut que ça s'arrête. Il faut vous empêcher de raconter partout mon histoire avec Lauren. Tôt ou tard, quelqu'un suivra cette piste qui, fatalement, le mènera à Therese. Elle ne mérite pas ça. Je suis l'unique responsable. J'ai joué avec le feu. Je me suis persuadée que personne ne me démasquerait jamais. Quand j'ai compris mon erreur, c'était trop tard.

– Chris ne sait pas ?

– En réalité, non, il ne sait rien. C'est un naïf. Lui aussi, je dois le protéger. Il croit toujours qu'à l'époque je faisais une retraite de yoga. Il a simplement supposé que j'avais eu une aventure avec un professeur ou quelqu'un de ce genre. Mais quand j'ai recouvré la raison et quitté Lauren, il m'a accueillie sans me poser la moindre question.

L'odeur de gaz se répandait dans toute la pièce, Alex en avait la nausée. Bientôt, il suffirait d'une petite étincelle pour que tout explose.

Comme si elle avait lu dans les pensées d'Alex, Joy prit un briquet dans sa poche, le posa au creux de sa paume, le contempla.

– Si vous allumez ce briquet, vous mourrez aussi !
s'écria Alex.

– C'est le but, répondit Joy d'une voix mono-
corde.

– Vous comptez nous tuer toutes les deux ? balbutia Alex, la gorge nouée.

– Ça mettra un point final à cette histoire. Une
bonne fois pour toutes. Je dois au moins ça à
Therese. J'ai laissé une lettre où je confesse le
meurtre de Lauren. Therese n'aura plus rien à
craindre.

– Mais pourquoi devrais-je mourir pour vos
crimes ? se révolta Alex.

– Parce que tout ça, c'est à cause de vous ! Si vous
n'aviez pas débarqué dans notre vie, les choses
auraient continué comme avant. Sans doute que
Dory serait toujours en prison… Mais non, vous avez
voulu retrouver votre sœur. Ensuite, il a fallu que
vous veniez fouiner dans notre passé. Therese ne
paiera pas le prix de votre sale curiosité. Malheur à
celui par qui le scandale arrive, comme vous savez.

Alex sentit son cœur s'emballer. Impossible de
ramener à la raison quelqu'un qui déraillait à ce
point. Elle devait pourtant essayer.

– Vous ne rendez pas service à Therese. Vous la
condamnez à porter le poids de sa culpabilité jusqu'à la fin de ses jours.

– Parfois, j'ai l'impression qu'elle ne se souvient
même pas de ce qu'elle a fait. Mais peu importe,
elle n'aura pas à moisir en prison. Elle aura au
moins une chance de vivre et de bien vivre. Et puis,
regardez le bon côté des choses. On saura que Dory
ne vous a pas agressée. Elle sera libérée.

À cet instant, on frappa à la porte d'entrée. Joy se figea.

– Qui c'est ? chuchota-t-elle.

– Je ne sais pas, répondit Alex, et elle ne mentait pas.

– Ils vont s'en aller.

– Ça m'étonnerait. Ma voiture est dans l'allée.

– Bon, je vais m'en débarrasser.

Joy prit un chiffon propre, ordonna :

– Ouvrez la bouche.

Alex serra les lèvres.

Joy s'énerva :

Faites ce que je vous dis ! dit-elle en lui donnant un coup de poêle sur la tempe.

Un cri échappa à Alex ; l'autre en profita pour lui fourrer le chiffon dans la bouche. Puis elle se précipita dans le vestibule. Une voix grave et rocailleuse déclara :

– Je cherche Mlle Woods. Alex Woods.

– C'est moi, répondit Joy.

Il y eut un silence, puis l'homme dit :

– Non, ce n'est pas vous.

Joy marmonna quelques mots qu'Alex ne comprit pas, mais le visiteur s'obstinait :

– Ce n'est pas vous, à moins qu'il y ait deux Alex Woods.

Joy émit un rire flûté. Mais qui sonnait faux.

– Je plaisante. Nous sommes cousines.

– Vous ne sentez pas ? Ça empeste le gaz.

32

– JE NE SENS RIEN DU TOUT, dit Joy.

Au secours ! voulut crier Alex, mais seuls de pitoyables grognements résonnèrent à ses oreilles. Elle essaya de déloger le bâillon du bout de sa langue, en vain.

– Moi, je suis certain que ça sent le gaz, dit le visiteur.

– Eh bien, je n'y peux rien, s'impatienta Joy. Ce sera tout, officier ?

Officier ? Serait-ce l'inspecteur ? Alex ne reconnaissait pas sa voix.

– Ne fermez pas la porte, OK ? Répondez-moi. Où est Alex Woods ? C'est bien sa maison, tout de même !

– Elle n'est pas là. Excusez-moi, je dois vraiment vous laisser.

– Madame, je vous assure, ça sent le gaz à plein nez. Vous feriez mieux de sortir. J'alerte les secours.

– Mais non ! protesta Joy. Allez-vous-en, tout va bien.

– Vous plaisantez ? Cette maison risque d'exploser.

– Ce n'est rien, je vous dis. C'est sans doute la cuisinière, le feu qui s'est éteint. Je m'en occupe.

– Et Mlle Woods ? s'entêta l'homme.

– Vous avez son numéro de téléphone ?

– Oui.

– Alors, appelez-la.

– Il faut que je la voie.

– Je ne peux pas vous aider. Et maintenant, si cela ne vous ennuie pas…

Alex ne comprit pas la réponse de l'homme, sa voix grave n'était plus qu'un murmure, sans doute s'éloignait-il. Elle pria qu'il ne capitule pas. Mais elle entendit Joy marmotter « Ouf », et refermer la porte.

L'accablement la submergea. Entre le gaz et le chiffon dans sa bouche, elle suffoquait à demi. Et malheureusement, le mystérieux visiteur était parti. Joy ne l'avait peut-être pas convaincu, mais il n'était sûrement pas prêt à s'introduire de force dans une maison occupée par une jeune femme seule. Avec lui s'évanouissait la dernière chance d'Alex d'en réchapper.

– J'ai réussi à m'en dépêtrer, dit Joy. J'ai cru que je ne l'empêcherais pas d'entrer. Il ne mesure pas la veine qu'il a.

Elle prit dans sa poche le briquet qu'elle contempla longuement, comme hypnotisée.

– Une toute petite flamme et…

Alex sentit son estomac se retourner. Sa dernière heure était venue… *Non ! Merde, je ne veux pas mourir. Je ne veux pas !*

– Ne vous inquiétez pas, dit Joy qui glissa le pistolet tranquillisant dans sa ceinture. Vous aurez perdu connaissance quand j'allumerai ce briquet. Vous ne sentirez rien.

Le téléphone de Joy sonnait dans sa poche. Elle s'en saisit, son expression s'adoucit.

– C'est Therese. Il faut que je réponde.

Elle passa dans la pièce voisine où Alex l'entendit parler d'une voix tour à tour sourde, intense. Elle doit lui dire adieu. Et moi, je n'ai pas le droit de faire mes adieux ? Elle songea à Seth qui arriverait le lendemain. Un jour trop tard. Elle songea à la vie avec lui, qu'elle ne vivrait jamais. Cela lui brisa le cœur. Elle ferma les yeux et se mit à pleurer. Sa mère n'avait pas envisagé une seconde que sa lettre, où elle révélait à Alex l'existence de sa demi-sœur, aboutirait à ce désastre. *Tu ne pouvais pas imaginer ça, maman.*

Soudain, elle perçut un bruit très léger. Tac-tac. Elle rouvrit les paupières, ne vit que la nuit au-dehors et, sur la porte semi-vitrée du jardin, le reflet des lumières de la maison. Tout à coup, elle laissa échapper un cri que le bâillon, heureusement, étouffa. Derrière les carreaux, deux yeux la scrutaient. Peu à peu, elle distingua les contours d'un visage.

Celui d'un homme noir, vêtu de sombre, qui se fondait dans l'obscurité. Mais son regard étincelait. Il posa un doigt sur ses lèvres.

Dans la salle à manger, Joy parlait toujours ; à présent sa voix trahissait de la lassitude et de l'angoisse.

L'homme, avec précaution, tourna la poignée. Sans résultat. Joy avait verrouillé cette maudite porte qui, le serrurier ayant récemment changé la serrure, ne céderait pas.

Il fouilla la cuisine des yeux, à la recherche d'une solution. Du menton, il montra la desserte roulante, à côté d'Alex. Les parents de la jeune femme l'avaient transformée en bar rudimentaire. Des bouteilles d'alcool sur le plateau, avec deux verres à liqueur, deux verres à cognac et quelques verres à vin.

Il fit un signe à Alex qui ne comprit pas ce qu'il essayait de lui dire. Elle secoua la tête, il toucha le carreau tout à côté de la poignée de la porte, fit mine de le briser et de passer la main à l'intérieur.

Oui… Il allait casser le carreau et ouvrir la porte. D'accord, lui répondit-elle d'un regard empli d'espoir et de peur mêlés.

Il pointa l'index vers elle puis vers la desserte. Il feignit de basculer sur le côté. D'accord. Il voulait qu'elle se jette contre la table roulante. Pourquoi ? Elle écarquilla les yeux d'un air dérouté. Il réfléchit un instant. Ensuite, il porta un verre imaginaire à ses lèvres. Un verre à pied, à en juger par le mouvement délicat de ses gros doigts. Un verre à vin, donc. Il fit semblant de lancer violemment ce verre par terre, désigna les débris sur le sol et le plateau de la desserte. Ah oui… elle croyait saisir le sens de cette pantomime. Il voulait qu'elle renverse la table roulante afin que les verres se fracassent sur le carrelage.

Mais pourquoi ? Elle pataugeait complètement, l'odeur entêtante du gaz lui brouillait les idées.

L'homme parut deviner son désarroi. Patiemment, il recommença à mimer son plan, étape par étape. Et soudain, Alex comprit. Oui, bien sûr !

Lorsque les verres tomberaient, on ne l'entendrait pas casser le carreau de la porte. Car Joy allait se précipiter dans la cuisine. Et si on ne détournait pas son attention, elle verrait immédiatement l'intrus. Il fallait faire diversion, donner au sauveur d'Alex quelques secondes pour pénétrer dans la pièce.

Elle opina et, doucement, fit bouger sa chaise. Elle n'osa pas réitérer l'opération, de crainte que Joy n'entende les pieds du siège racler le sol. Elle accourrait et allumerait son briquet. Alex ne se déplaça que de quelques centimètres, pour être en position de renverser les verres.

L'homme leva trois doigts. On compte jusqu'à trois. Pigé. Alex hocha de nouveau la tête. Il serra le poing pour lui donner du courage. Puis il leva un doigt. Deux. Trois.

Engageant toutes ses forces dans le mouvement, elle percuta la desserte avec l'épaule.

Il y eut un fracas de verre brisé.

Joy accourut, le téléphone encore à la main.

– Qu'est-ce qui s'est passé ?

D'un air penaud, Alex baissa les yeux sur les débris éparpillés à ses pieds.

– Pourquoi vous avez fait ça ?

Alex regardait fixement le sol.

– Vous comptiez trancher vos liens ? Vous servir de ces morceaux de verre comme d'une arme ? Vous vous êtes fatiguée pour rien, ma pauvre. Vous ne m'arrêterez pas. Pour nous, c'est la fin. Au lieu de perdre votre temps, dites vos prières.

Joy tourna le dos se remit à parler à sa fille.

– Maintenant je dois te laisser, ma chérie. Mais

n'oublie jamais combien je t'aime. Ne l'oublie jamais.

L'homme passa la main par le carreau cassé et déverrouilla la porte. Alex émit un grognement, de toutes ses forces, pour masquer le déclic de la serrure.

La suite sembla se dérouler au ralenti. Il poussa le battant à l'instant où Joy pivotait. Alex avait l'impression d'être sous l'eau et d'assister au spectacle. La porte qui s'ouvrait. L'homme, en uniforme bleu marine, qui s'élançait pour empoigner Joy. Le téléphone qui rebondissait sur le sol et atterrissait devant Alex.

– Non ! s'écria Joy. Lâchez-moi. Il faut que je le fasse.

Mais Robinson – Alex l'avait enfin reconnu – était un colosse et pas d'humeur du tout à s'en laisser conter.

– Certainement pas. Vous ne ferez rien du tout.

Maintenant Joy face contre terre, il s'assit sur elle, prit les menottes qu'il avait à la ceinture et les lui passa. Puis il se redressa, remit Joy debout, la traîna jusqu'à la porte du jardin et la poussa brutalement. Elle éclata en sanglots.

Il se précipita vers la cuisinière, ferma le gaz, se hâta d'ouvrir les fenêtres. Enfin, il souleva Alex toujours ligotée sur sa chaise et l'emporta dehors. Il lui ôta son bâillon.

Elle avala une goulée d'air frais. Elle avait mal aux poumons, mais son cœur dansait, léger comme un ballon.

– Merci, souffla-t-elle.

Joy se laissa glisser sur le sol, pleurant et hoquetant.

— Elle a un pistolet tranquillisant et un briquet, dit Alex.

Robinson fouilla Joy, empocha le briquet et coinça le pistolet sous son ceinturon.

— Et voilà, grommela-t-il.

— J'ai eu si peur que vous m'abandonniez, balbutia Alex.

— Sûrement pas, répondit-il en la détachant. Mais j'avais la trouille, j'ai bien vu qu'elle se fichait éperdument que tout explose. J'ai préféré être prudent.

— À juste titre. Elle comptait nous tuer toutes les deux.

— Ouah… Qu'est-ce qu'elle a contre vous ?

— C'est une longue histoire.

— J'appelle les secours.

Tandis qu'il composait le 911, Alex secoua ses bras et ses jambes engourdies, tout en observant avec ahurissement Joy affalée sur les marches, les poignets entravés derrière le dos. Elle avait la figure bouffie de larmes.

— Qu'est-ce que j'ai fait à mon bébé ? braillait-elle.

— Arrêtez votre cinéma. Au moins vous êtes toujours vivante. Toujours là pour votre fille.

— Son existence sera gâchée. Je ne le supporterai pas.

— Vous pensez que Therese vivrait mieux avec son terrible secret ? Elle est en souffrance, alors cessez donc de vous lamenter sur votre sort.

— Allez vous faire foutre ! hurla Joy.

– Vous pouvez crier autant que vous voulez. C'est fini.

M. Robinson les rejoignit. Alex le dévisagea.

– Je vous ai reconnu, vous savez. Vous êtes surveillant à la prison du comté.

– C'est exact.

– Comment m'avez-vous retrouvée ?

– Vous m'aviez donné vos coordonnées. Vous vous souvenez ?

– Ah oui, effectivement. Quelle chance que vous soyez venu !

Soudain, Alex tressaillit.

– Mais… pourquoi êtes-vous venu ?

– Je voulais vous parler de votre sœur, répondit-il d'un air embarrassé.

– Dory ? Que lui arrive-t-il ?

– Vous nous avez seriné qu'elle était très déprimée. Vous nous avez dit que si on ne faisait pas attention à elle, on le regretterait. On a pris ça à la légère. J'en ai honte, parce que vous ne vous trompiez pas. Il m'a semblé que je devais vous l'annoncer en personne.

Alex le regarda fixement. Elle n'osait pas poser la question. Elle tremblait de tous ses membres.

– M'annoncer quoi ?

– Je suis navré, mademoiselle Woods. Une demi-heure à peine après votre visite, votre sœur s'est pendue dans sa cellule.

– OH NON, NON ! Elle est morte ?
– Grâce à vous, non. Après la scène que vous nous avez faite, Witkowski a décidé d'aller jeter un œil à tout hasard. C'était moins une ! Elle avait fait une corde avec son drap. Il l'a décrochée juste à temps. Mais elle est hospitalisée.

– Mon Dieu... elle va s'en tirer ?

Robinson hocha la tête.

– Elle ne s'est pas brisé les cervicales, c'est une chance. Et ça n'a pas duré assez longtemps pour qu'elle s'asphyxie. D'après les docteurs, elle s'en remettra. Mais je vous jure, heureusement que vous avez fait du barouf, que vous nous avez houspillés.

– Pauvre Dory... C'est votre faute ! lança-t-elle à Joy qui pleurnichait, toujours recroquevillée sur les marches. Vous vous êtes arrangée pour qu'on l'inculpe les deux fois. Car c'est bien vous qui avez caché ce couteau dans sa chambre pour qu'on l'accuse de m'avoir agressée.

Joy opina, secouée de sanglots silencieux.

– Il le fallait, balbutia-t-elle.

– Vous ne faites pas de bien à Therese, répéta

Alex en la foudroyant du regard. Même si c'est sans doute vous qui irez en prison.

Joy ne répondit pas, fixant le vide devant elle. Alex se tourna vers Robinson.

– Je suis gênée de vous demander encore de l'aide, mais je ne crois pas être en état de conduire. Je suis trop bouleversée. Pourriez-vous m'emmener à l'hôpital ?

– Bien sûr, c'est justement pour ça que je suis passé. Je me doutais que vous auriez besoin d'un chauffeur. C'est le moins que je puisse faire, hein ? Mais on doit attendre l'arrivée de la police. Ils voudront vous interroger.

– Ça prendra combien de temps ?

– Pas trop longtemps, j'espère. Appelez donc l'hôpital.

– Mais lequel ? s'affola Alex. Je ne sais même pas où on l'a transportée.

Robinson lui prit son téléphone et composa un numéro.

– Tenez, au moins on vous donnera de ses nouvelles.

Des véhicules approchaient, le hurlement des sirènes semblait ébranler la maison. Alex se boucha une oreille, écoutant la sonnerie retentir à l'autre bout du fil.

– Boston General ! annonça une voix affable.

– Bonsoir, j'appelle pour avoir des nouvelles de ma sœur. Elle a été admise aux urgences dans la soirée.

On lui passa le service et, pour l'aider à patienter, de la musique classique, un quatuor en l'occurrence. Un groupe de policiers apparut, piloté par

Robinson qui les avait fait entrer. Il leur montra Joy, toujours affalée sur les marches, indifférente à l'air glacial de la nuit.

– Elle comptait faire exploser la maison et partir en fumée avec cette jeune femme qui téléphone et que j'ai trouvée bâillonnée et ligotée sur une chaise.

À ce moment, Alex eut enfin en ligne le bureau des infirmières.

– Ma sœur a été hospitalisée il y a quelques heures. Dory Colson.

Son interlocutrice eut une hésitation.

– La détenue ?

– Tout à fait.

– Son état est sérieux, mais stable.

– Merci.

C'était au moins une consolation. Alex raccrocha et composa un autre numéro.

– Elaine ?

– Oui ?

– C'est Alex. Je vous appelle au sujet de Dory. Elle a tenté de se suicider ce soir.

Silence.

– Elle a voulu se pendre, mais heureusement on l'a trouvée à temps. Elle est hospitalisée au Boston General. Son état est stable, elle survivra.

– Pourquoi vous me dites tout ça ? demanda Elaine d'un ton belliqueux, même si sa voix tremblait.

– Vous êtes sa mère, j'ai pensé que vous souhaiteriez être prévenue. Sachez également que, ce soir, Joy a essayé de me tuer et de faire exploser ma maison.

– Joy… notre Joy ?

Notre Joy, s'indigna Alex. Et notre Dory, alors ?

– Oui, votre Joy. La police va l'arrêter pour tentative de meurtre. Et aussi pour m'avoir poignardée la semaine dernière et avoir caché le couteau dans la chambre de Dory.

Vider ainsi son sac était profondément satisfaisant.

– Je ne comprends pas, bredouilla Elaine.

– C'est une longue histoire, vous en connaîtrez tous les détails en temps utile. Mais je tiens à vous dire une chose : Dory n'est pour rien dans la mort de Lauren.

– Comment vous le savez ?

– Parce que, à présent, je sais qui l'a assassinée.

– Qui est-ce ? demanda anxieusement Elaine. Dites-le-moi.

Alex jeta un regard aux policiers qui attendaient. L'idée d'Elaine rongeant son frein lui plaisait bien. Elle laissait Dory se morfondre depuis une éternité.

– Je vous laisse, je dois libérer mon chien. Joy l'a enfermé dans l'appentis du jardin. Je vous ai juste téléphoné pour vous avertir que Dory est à l'hôpital.

Il fallut encore une heure avant que les policiers aient interrogé Alex et mis Joy en état d'arrestation.

– Il est tard, dit Alex à Robinson. Vous désirez sans doute rentrer chez vous et dîner.

– Non, j'ai promis de vous emmener à l'hôpital.

– Je peux prendre un taxi.

– Vous en prendrez un pour rentrer. Aux urgences, on risque de vous envoyer sur les roses, de vous dire que l'heure des visites est passée. Je vous arrangerai le coup.

Alex le remercia, éperdue de reconnaissance ; quelques minutes après, elle était dans la voiture, en route pour le Boston General.

Comme Robinson l'avait prédit, les infirmières de service déclarèrent à Alex qu'il était trop tard pour déranger les malades. Mais elles se soumirent sans regimber à la volonté du gigantesque surveillant pénitentiaire quand il exigea qu'Alex soit autorisée à voir Dory. Robinson la suivit jusqu'à la chambre, salua son collègue qui montait la garde devant la porte.

– Bon, dit-il, maintenant je vous laisse. Je vous présente Hannity, qui vous aidera en cas de besoin.

Alex serra la main de Robinson.

– Jamais je ne pourrai assez vous remercier. Je vous dois la vie, monsieur Robinson.

– Un de ces jours, vous me paierez un super sandwich, et on sera quittes.

– Marché conclu.

Il s'éloigna dans le couloir, salua Alex de la main. Elle attendit qu'il se soit engouffré dans l'ascenseur puis elle adressa un pâle sourire à Hannity, inspira à fond et pénétra dans la chambre de Dory.

Sa sœur, qui contemplait la fenêtre, tourna vers elle un regard vide.

– Dory…

Alex se précipita à son chevet, lui posa doucement la main sur l'épaule. Dory avait au cou des marques violacées.

– Oh, mon Dieu… Je suis si contente qu'on t'ait trouvée à temps.

– Comment tu as su que j'étais ici ? demanda Dory d'une voix sourde.

– On m'a prévenue. Je te raconterai tout quand tu seras rétablie. Pour l'instant, je n'ai qu'une chose à te dire : tu ne retourneras pas en prison. Tu sortiras de cet hôpital libre et complètement innocentée.

Dory la considéra d'un air morne.

– Je suis sérieuse, Dory. Joy a été arrêtée, c'est elle qui m'a agressée et qui a caché le couteau dans ta chambre.

– Joy Ennis ?

Alex jeta un coup d'œil à la porte, puis reporta son attention sur Dory qui semblait si vulnérable, couchée dans ce lit.

– La vérité va éclater au grand jour. Joy m'a tout dit. C'est Therese qui a tué Lauren. Joy a agi comme elle l'a fait pour protéger sa fille.

Alex s'attendait à lire sur le visage de Dory de la stupeur. Du soulagement. À voir un sourire ou des larmes. Mais rien ne changea dans le regard grave, désespéré, de la jeune femme qui tourna de nouveau la tête vers la fenêtre et se replongea dans la contemplation de l'autoroute – un fondu enchaîné de phares et de feux arrière sous un ciel d'encre.

Alex approcha une chaise et s'assit près de sa sœur. Celle-ci souffrait-elle de troubles de la conscience provoqués par l'anoxie ?

– Dory, tu comprends ce que je te dis ?

– Je crois, oui. Therese. Mais pourquoi Therese aurait tué Lauren ? C'était son idole.

– Eh bien, Joy et ta sœur étaient amantes. En secret, bien sûr. Tout le monde pensait que Joy avait quitté sa famille pour faire une retraite de yoga, mais

324

en réalité elle vivait avec Lauren. Le jour de sa mort, Lauren a essayé de persuader Joy de revenir à Branson. Therese les a surprises, elle a piqué une crise.

– Ouah…, marmonna Dory.

– Joy a tout mis en œuvre pour que personne ne soupçonne Therese, et tant pis pour celle qui paierait les pots cassés.

– Moi, autrement dit.

– Oui. Elle t'a sacrifiée pour protéger sa fille. Et quand tu as été libérée de prison, elle m'a agressée pour qu'on te renvoie derrière les barreaux. Elle ne se souciait que de Therese.

– C'est comme ça que se comporte une mère, non ? rétorqua tristement Dory.

– La vérité va éclater, répéta Alex. Au moins, maintenant, on sait qui a tué Lauren.

– Tant mieux.

– Dieu merci, tu n'as pas réussi à…

Alex s'interrompit, effleura sa propre gorge.

– Tu es définitivement blanchie, Dory.

– Je me demande si ça suffira à ma mère.

– Il le faudra bien, répondit Alex, réprimant un mouvement d'humeur. Elle n'aura pas le choix.

– Sans doute, acquiesça Dory de sa voix éraillée.

– Elle aura probablement besoin d'un peu de temps pour digérer tout ça. Je reconnais qu'il y a de quoi être chamboulé.

– J'espère qu'elle ne le sera pas trop. Elle aime Therese comme si c'était sa petite-fille. Je ne sais vraiment pas comment elle prendra cette histoire.

– Therese n'est pas son enfant, fit remarquer Alex avec une pointe d'aigreur.

Dory opina.

– Personne ne m'a crue, murmura-t-elle après un silence.

– Effectivement, dit Alex, rouge de honte. Je suis désolée.

– Ça n'a pas d'importance.

Alex posa sa main sur celle de Dory, glacée.

– Je regrette.

– C'est pas grave, soupira Dory.

– Écoute... Quand tu sortiras, je veux que tu reviennes à la maison avec moi. Tu pourras rester aussi longtemps que tu le souhaiteras. Remus te cherche partout.

Dory avait besoin de s'accrocher à quelque chose qui lui redonne le goût de vivre.

– C'est un bon chien, murmura-t-elle.

– Oui.

Elles retombèrent de nouveau dans le silence. Dory semblait n'avoir rien à dire, aucune autre question à poser sur les événements qui avaient abouti à sa disculpation.

– Il vaudrait mieux que tu y ailles, murmura-t-elle. Il faut que tu sortes Remus.

– Tu as raison.

On entendit un bruit de pas, des voix dans le couloir. Dory tourna son regard vers la porte et, soudain, son expression changea radicalement. Ses yeux s'arrondirent, un sourire éclaira son visage.

Ses parents entraient dans la chambre. Garth tenait fermement sa femme par le bras. En voyant Dory, si pâle dans son lit, Elaine recula, effrayée.

– Bonjour chérie, souffla Garth qui s'approcha et,

avec précaution, embrassa Dory. Mon Dieu… je suis content.

Dory se laissa faire ; elle regardait fixement sa mère.

– Garth, elle n'est pas seule, articula Elaine, montrant Alex.

– Aucune importance, dit Dory.

Alex se leva. Inutile de se vexer pour si peu.

– De toute façon, j'allais partir.

Elaine s'assit au chevet de sa fille. Aussitôt, Dory lui tendit la main.

– Maman, tu es là…

Elaine lui prit la main.

– Tu es glacée, dit-elle.

– Bon, j'y vais. Je reviendrai demain, promit Alex. N'oublie pas ma proposition de t'installer chez moi.

Dory hocha la tête sans répondre. Plus rien n'existait pour elle, hormis les doigts de sa mère entrelacés aux siens, sur le drap. Elaine était crispée, embarrassée. Mais elle ne lâcha pas la main de sa fille.

Épilogue

– VOUS SAVEZ SI DORY en a pour longtemps ?
demanda Alex.

Elaine jeta un coup d'œil à la pendule.

– Elle devrait déjà être là. Elle a peut-être eu un problème avec un des chiens.

Alex grignotait le biscuit que Garth leur avait offert à leur arrivée. Seth, installé près d'elle sur le canapé, en avait déjà englouti deux.

– Ils sont délicieux, Elaine, dit-il.

– Merci.

Garth frotta ses paumes sur son jean.

– Il paraît que vous allez vous marier, tous les deux ?

– C'est exact, répondit Seth.

– Je vous souhaite tout le bonheur du monde.

– Merci, dit Seth.

Alex se taisait. À sa sortie de l'hôpital, Dory était retournée chez les Colson. Elle avait expliqué à Alex qu'elle voulait reprendre son activité de dog-sitter. Selon elle, ce serait plus facile à Boston, et plus précisément dans le South End. Au début, Alex la voyait régulièrement. Elles déjeunaient ensemble, quand

Alex travaillait à la galerie d'art, ou bien Dory venait à Chichester. Elle semblait se remettre peu à peu de sa dépression, elle affirmait se sentir bien et échafauder des projets d'avenir.

Ces derniers temps, cependant, elle était maussade, fuyante. Elle avait toujours une bonne excuse pour refuser de dîner chez Alex. Elle devait se lever très tôt le lendemain, ou bien son père ne pouvait pas lui prêter son véhicule, ou encore elle était patraque.

Le mariage qui approchait avait donné à Alex un excellent prétexte pour lui rendre visite. Elle avait demandé à Seth de l'accompagner – il la soutiendrait moralement, et elle se fiait à son jugement : il était fin psychologue.

– N'est-ce pas, Elaine, qu'on leur souhaite d'être heureux ? reprit Garth.

– Absolument.

– En fait, dit Alex, que Dory ne soit pas encore là m'arrange. Je voulais vous poser une question. Comment va-t-elle ? Vous pensez qu'elle a surmonté le traumatisme qu'elle a subi ?

Garth parut gêné. Mais Elaine regarda Alex droit dans les yeux.

– Elle va bien. Très bien. Vous n'avez aucune raison de vous inquiéter.

– Quand même, ma chérie, toi et moi on en parlait l'autre jour. Elle est un peu morose. Alex est sa sœur, je comprends qu'elle se fasse du souci. C'est gentil de sa part, d'ailleurs.

– J'admets que les choses ont beaucoup changé dans l'immeuble. Ce n'est plus comme avant, dit Elaine d'un ton un rien accusateur.

– Dory m'a expliqué que Chris Ennis avait déménagé pour se rapprocher de la prison où Joy attend son procès, et de l'établissement où Therese a été placée.

– Eh oui, répondit aigrement Elaine. Maintenant, au-dessus, on a des étudiants. Ils sont affreusement bruyants.

– C'est ennuyeux, dit Seth. Mais, après tout ce qui s'est passé, je ne vois pas comment vous auriez pu continuer à côtoyer Chris Ennis.

– Évidemment.

– J'imagine que Therese doit malgré tout vous manquer, dit Alex.

– Me manquer ? répéta Elaine, indignée. Après ce qu'elle a fait à Lauren. Ah ça, non !

– Pourtant vous la considériez comme votre petite-fille.

Garth pâlit ; d'un geste furtif, il s'essuya les yeux.

– Pour moi, Therese est morte, dit Elaine d'une voix sifflante. Je n'y pense jamais, elle n'existe plus.

À ce moment, la porte d'entrée s'ouvrit à la volée.

– Je suis là ! cria Dory.

Elle apparut en haut des marches. Elle avait ôté ses bottes, ses cheveux étaient entortillés sur le sommet de son crâne. Avec son vieux sweat informe et son jean, elle avait l'air d'une adolescente. Elle tenait un bouquet de fleurs.

– Maman, je t'ai acheté un...

Elle se tut en voyant sa sœur et son futur beau-frère installés avec ses parents dans la salle de séjour. Alex était si contente de la voir que cela la surprit.

Elle se leva et l'étreignit. Dory recula, regarda anxieusement sa mère.

– Oh non… je suis couverte de poils de chien.

– Moi aussi, dit Alex sans la lâcher. Tu manques beaucoup à Remus.

– Tant mieux, répondit Dory avec un pauvre sourire. Je veux dire… je suis contente qu'il se souvienne de moi.

– Regina m'a téléphoné l'autre jour. Elle a un chiot de toute beauté, elle lui cherche un maître.

– Tu vas le prendre ?

– Non, pas moi. Mais pourquoi tu ne l'adopterais pas ?

– Pas dans cette maison, déclara Elaine.

– Je croyais que vous n'aviez jamais eu d'animaux à cause des allergies de Lauren, objecta Alex.

– J'ai assez de problèmes comme ça. Pas d'adoption pour moi, merci bien.

Si Elaine regretta cette remarque cruelle, vu les origines de Dory, elle n'en laissa rien paraître.

– De toute façon, je n'ai pas besoin d'un chien, dit Dory d'un ton morne.

– Peut-être quand tu auras ton appartement, rétorqua gentiment Garth.

– Tu vas déménager ? demanda Alex.

Dory tressaillit.

– Mais non, répondit-elle, comme si c'était inconcevable.

– Pardon, je…

– Maman, je t'ai acheté des fleurs. À la gare de Back Bay.

– Il y a un vase sous l'évier, dit Elaine avec indifférence. Mets-les dans l'eau ou bien elles vont crever.

Dory se précipita dans la cuisine. Alex la rejoignit, tandis que Seth, charitable, s'empressait de raconter à Garth qu'on prévoyait de démolir une vieille église de Dorchester.

– Salut, ma grande, murmura Alex. Comment vas-tu ?

Dory sortit deux vases du placard, les compara.

– Bien.

– Il y a longtemps que je ne t'ai pas vue.

– Ouais. Lequel ira le mieux, à ton avis ?

– Celui-ci.

– Alors comme ça, tu es passée à l'improviste ? Maman dit toujours qu'il vaut mieux prévenir avant.

– Elle a raison, j'aurais dû. Mais j'avais quelque chose à te demander. Seth et moi, nous avons fixé la date du mariage.

– Félicitations.

– Merci. Ça se fera dans l'intimité, mais j'ai quand même besoin d'une demoiselle d'honneur. Tu accepterais d'être ma demoiselle d'honneur ?

Dory parut étonnée. Un sourire éclaira son regard.

– Tu es sérieuse ?

– Oui. Tu es ma sœur.

Dory jeta un coup d'œil à Elaine qui les observait.

– C'est sympa.

– Tu es d'accord ?

Dory soupira puis redressa les épaules.

– Je suis d'accord.

– Il faudra peut-être prévoir une séance de shopping. Pour essayer des robes.

– Ça devrait pouvoir se faire.

Alex la serra de nouveau dans ses bras. Dory resta raide comme un piquet.

Elaine s'approcha d'un air désinvolte et prit le vase sur l'évier.

– Ces fleurs sont très jolies.

Le visage de Dory s'illumina.

– Tu les aimes ?

– Bien sûr. Qu'est-ce que vous mijotez, toutes les deux ?

– Alex m'a invitée à son mariage.

– Comme c'est gentil. Et qu'as-tu répondu ?

– J'ai dit oui. Enfin… peut-être.

Elaine opina. Elle affichait une expression sereine. Lentement, elle posa le vase au centre de la table.

– Je ne suis pas sûre, tu comprends, Alex. Je te téléphonerai, si tu veux bien ? bredouilla Dory.

Alex regarda Elaine. Celle-ci semblait avoir envoyé à sa fille une sorte de signal, d'avertissement muet. Dory était brusquement malheureuse comme les pierres. Et dans les yeux d'Elaine, Alex voyait flamber une lueur triomphale et méprisante.

– Bien, murmura-t-elle. Seth… on y va ?

Dès qu'ils eurent quitté l'appartement et regagné, bras dessus bras dessous, la voiture, Alex laissa libre cours à sa colère.

– Elle est en prison chez ces gens, je t'assure ! Elle était contente que je l'invite, et puis l'autre lui a jeté un coup d'œil…

– Dory a trente-deux ans, Alex. Si elle voulait partir, personne ne l'en empêcherait.

– Rien n'a changé. Ils savent qu'elle n'a pas tué

Lauren, pourtant ils continuent à la traiter comme si elle était... coupable.

– Tu as toujours pensé qu'Elaine la traitait de cette manière à cause de la mort de Lauren. Moi, j'ai l'impression que c'est comme ça depuis le début.

– Mais pourquoi ? Elle voulait désespérément des enfants. Elle était folle de joie quand on lui a confié Dory. Comment peut-elle se comporter de cette façon ?

– Une femme qui désire un enfant ne sera pas nécessairement une bonne mère.

– Tu as raison, bien sûr, mais... ce n'est pas juste ! Il faut que Dory s'éloigne de cette mégère. Garth est gentil, d'accord. Faible, mais gentil. Par contre, Elaine...

– Dory n'a aucune envie de la quitter. Elle n'a qu'un but dans la vie : gagner l'amour d'Elaine.

– Tu crois ?

– J'en suis persuadé.

– Et elle n'obtiendra jamais ce qu'elle espère, n'est-ce pas ?

– Hélas non.

Alex garda un instant le silence.

– Il vaudrait mieux que je la laisse tranquille, d'après toi ? Peut-être que ma présence attise la méchanceté d'Elaine. Elle a le sentiment, me semble-t-il, que mon intrusion dans la vie de Dory a fait s'écrouler son univers. Elle n'a plus sa chère Therese, Dory est de nouveau là... Je pense qu'elle était plus heureuse quand ma sœur était en prison et qu'elle pouvait l'accuser de tous les maux.

– Ton analyse me paraît pertinente.

– C'est sans doute pour ça que Dory m'évite depuis quelque temps.

– Probablement. Chaque fois qu'elle te voit, elle doit le payer cher.

– Je ne veux pas la rendre encore plus malheureuse, soupira Alex.

– N'entre pas dans le jeu d'Elaine, ma chérie. Tu essaies simplement d'être une sœur pour Dory. Et elle a besoin de toi, qu'elle en soit ou non consciente. Un jour peut-être, elle sera plus lucide, elle comprendra qu'il est inutile de courir après l'amour de cette femme. À ce moment-là, elle sera contente de t'avoir à ses côtés.

– Mais tu disais qu'elle n'ouvrirait jamais les yeux.

– J'essaie d'être réaliste. Cette relation malsaine entre Elaine et Dory est extrêmement forte. Mais cela ne signifie pas que tu dois abdiquer. Elaine serait ravie que tu restes à l'écart. Que Dory soit totalement seule. La torturer est beaucoup plus facile s'il n'y a personne pour protester. Si tu sors de la vie de Dory, qui la défendra ?

– Merci de me dire ça. Je sens que je dois continuer. Essayer. C'est ce que ma mère aurait voulu. Et puis, je le veux aussi. Dory est ma sœur.

Seth hocha la tête.

– Nous continuerons.

– Nous ?

– Toi et moi, ensemble. D'accord ?

– Oui.

Alex songea à sa mère. Elle avait souhaité qu'elle ait une sœur pour l'épauler. La réalité était plus compliquée, mais il existait entre Dory et elle un lien qui défiait la raison. Catherine Woods regrettait qu'Alex n'ait pas une famille sur laquelle s'appuyer dans les bons et les mauvais moments.

Elle regarda le profil de Seth. Tu es là, toi. Tu es ma famille, désormais.

Elle se blottit contre lui. Il faisait froid, la nuit tombait.

Nous sommes une famille, maman. Seth et moi. Nous aurons des enfants, un foyer. Une vie. C'est ce que tu désirais pour moi. Quant à Dory, ton autre fille…

Nous serons là pour elle.

Aux Éditions Albin Michel

UN ÉTRANGER DANS LA MAISON, 1985.

PETITE SŒUR, 1987.

SANS RETOUR, 1989.

LA DOUBLE MORT DE LINDA, 1994.

UNE FEMME SOUS SURVEILLANCE, 1995.

EXPIATION, 1996.

PERSONNES DISPARUES, 1997.

DERNIER REFUGE, 2001.

UN COUPABLE TROP PARFAIT, 2002.

ORIGINE SUSPECTE, 2003.

LA FILLE SANS VISAGE, 2005.

J'AI ÉPOUSÉ UN INCONNU, 2006.

RAPT DE NUIT, 2008.

UNE MÈRE SOUS INFLUENCE, 2010.

UNE NUIT, SUR LA MER, 2011.

LE POIDS DES MENSONGES, 2012.

« SPÉCIAL SUSPENSE »

Composition : IGS-CP
Impression : Imprimerie Lebonfon Inc. en mars 2013
Éditions Albin Michel
22, rue Huyghens, 75014 Paris
www.albin-michel.fr

ISBN: 978-2-226-24823-7
ISSN: 0290-3326
N° d'édition: 19724/01 – N° d'impression:
Dépôt légal: avril 2013
Imprimé au Canada